U0127450

小說人物叢書

總策劃◇簡媜

實學社

小說人物 3

秦始皇大傳

[卷三・龍騰四海]

作　者／李　約
總策劃／簡　媜
主　編／劉玲君
封面繪圖／陳　濤（秦始皇造型徵獎得獎人）
美術設計／黃淸在
發行人／周浩正
出版者／實學社出版股份有限公司
台北市師大路一八九號六樓
電話：(02)369-5491　傳眞：(02)365-6840
郵撥帳號：18380289　創社日期：1994.11.19

排　版／正豐電腦排版有限公司
印　刷／鴻柏印刷事業有限公司
電話：(02)365-5808

總經銷／吳氏圖書有限公司
電話：(02)303-4150　傳眞：(02)305-0943
法律顧問／蕭雄淋律師
電話：(02)367-7575　傳眞：(02)369-2525

初版一刷／一九九五(民84)年三月一日
初版五刷／一九九五（民84）年四月一日
ISBN／957-9175-04-7(平裝)
957-9175-10-1（精裝）
定　價／250元（平裝，一冊。）
2000元（精裝，全五卷，不分售。）

行政院新聞局局版臺業字第6433號

【小說人物3】

秦始皇大傳

李約◉著

一個出版社的夢

〈小說人物〉叢書出版緣起

歷史是文明的基石，亦是永恆智產。它既以時空爲經緯，標示一個民族自萌發而壯闊的記憶長牆，又允許現代人超越種族、國界與語系，展開多面向的研發與轉化。我們相信，歷史不是沉重之軛，它所累聚的巨大寶藏，恰能爲一個追求活化和轉型的社會帶來智識能源與視野格局。歷史如鏡，作爲一個出版者，我們願意秉持謙恭之心與雍容大度的胸襟，邀集讀者一起與我們巡視歷史，用現代的眼界與識見，觀歷代興衰之理，察亂世與治世之律，窺文明躍進之道，析人性慾求之則，更追蹤億萬生靈於他們僅有的時代何以遭逢塗炭？何以安享昇平？而這一趟尋訪，當有助於提高境界、拓展視域，藉而遠瞻我們的未來，啓動轉捩之鈕。

實學社開闢〈小說人物〉叢書，即是落實這種出版理念，鎖定歷史上具有決定性影響的人物，他們啓動了那一代的關鍵之鈕，或盤整亂世，或創發新紀，或誤觸機括、燎成惡局。無疑地，他們已成爲後世眼中震古鑠今的典型人物，其才略與智謀、格局與氣度，甚至性格特質，並未隨著時間而灰滅，在現代社會、不同的領域裡，俯拾可見這些典型人物特質的再生與分化。所謂鑑古知今，即是解碼。

〈小說人物〉叢書企圖透過現代小說家之如椽大筆，以史實爲藍圖，鋪設架構，馳騁想像，重塑其形貌與特質，用生動活躍的文采使他們所置身的那一段歷史復活，讓讀者在具有親和樂趣的閱讀中，各有斬獲。

實學社更希望〈小說人物〉叢書的經營，能引動國內更多優異作家共同營運出歷史小說類型創作的高峰，「百萬羅貫中歷史小說創作獎」的舉辦，即是我們誠懇的邀請函。作爲一個出版者，實學社願意構築一個歷史小說的大舞台，培育並等待經典的誕生。

我們相信，這個夢想會實現。

秦始皇大傳

【目錄】

3 龍騰四海之卷

秦始皇大傳〔3〕

龍騰四海之卷

第13章 攻趙聯齊

1

議事殿中，秦王正在主持一項作戰準備會議。

參加者爲丞相王綰，國尉尉繚，廷尉李斯，將軍王翦，俾將蒙武及其他有關文武大臣。

大將軍桓齮已率廿萬大軍赴趙，正接近趙國平陽地區部署，等待秦王的攻擊命令。

秦王政首先宣布作戰方針——

一、全力攻趙，爭取中原軸心。

二、順道滅韓，去除側背威脅。

三、威脅魏國合作，用爲征趙軍後方。

四、暫與燕楚修好，但加強對楚防備。

五、中立齊國，避免齊援助趙國。

接著是國尉報告軍民動員情形、士卒安家與陣亡負傷者撫恤制度的革新，以及征趙軍的後勤補給準備與執行。

兼管情報系統的廷尉李斯，在報告了各國重大動態後特別提出——

齊國原爲秦的與國，秦趙長平之戰中，都未應趙的要求提供趙國糧食，導致趙國因缺糧而戰敗。秦王政十年，齊王田勝親自來咸陽修好，主上曾以盛大儀式及宴會以示歡迎，更創下了兩國友誼的顛峰。

但自太后君王后去世，齊王勝逐漸轉變政策，最近有與趙國聯盟的可能，值得注意並作有效防止。

在楚國方面，去年秦國曾發四郡兵卒助魏攻楚，除了設法與楚修好外，在秦攻擊趙時，可會同魏國防阻楚攻秦側背。

燕趙之間屢有戰爭，而燕王一向對秦友善，必要時可邀燕共擊趙國。

再下去是丞相王綰及其他大臣報告與戰備有關的本身主管事務。

然後開始討論中立齊國的問題。有人建議派使懷柔，只要齊不助趙，可給予種種優厚條件，有人贊成強硬警告，齊要助趙，我一併攻之。

贊成懷柔者的首腦是丞相王綰，他說：

「齊國既然不穩，目前政策搖擺不定，假若強硬威脅，等於逼他走上與趙聯合的道路，齊國長久休革息兵，多年沒有戰爭，國力積蓄雄厚，要是共同擊秦，勝敗就難以決定了。」

強硬派的領袖是國尉尉繚，他說：

「假若我們向齊國示弱，答應給予優厚中立條件，齊國自恃強大，又有左右戰局的能力，一定會獅子大開口，開出我們無法接受的條件，反而會弄得談判不攏，反臉成仇，這才是驅使它與趙聯合的危機。因此，假若一開始我們就採取強硬態度，齊國昇平日久，朝野上下都恐懼戰爭，這可收先聲奪人、事先嚇阻的效果。」

折衷派首領李斯則提出意見：

「只是單獨威脅利誘都有偏頗之處，最好是雙管齊下，先派人示好，再以戰爭威脅，但兩者都不宜過於明顯，否則會引起齊國以能左右戰局自重，也易引起趙國方面的注意。如何執行，則要請各位討論，陛下聖裁。」

秦王政這才點頭微笑，他指名坐在一旁始終未發言的蒙武說：

「蒙卿，寡人注意到你今晚未發一言，聽了別人這麼多意見，想必是成竹在胸了。」

蒙武避席躬身說：

「臣奉命調軍中協助王翦將軍，理當思慮駐韓軍中事，對此大事沒有發言資格。」

「蒙卿，與會者都應發言，不必自限。」秦王政看得出蒙武情緒有點消沉。

「依臣所見，對齊無論是威脅或利誘，全都應在暗中進行，而且是擇定對齊王有決定性影響力的人物進行，進行目標不必多，擇其一、兩個即可。」

秦王政擊案大笑，他對著李斯等人說：

「眾卿家看怎麼樣？這才是箭不虛發，發必中的，蒙武的意見與寡人暗合！」

眾大臣相看無言，秦王政這幾句話等於是下了結論。他又說：

「李廷尉和蒙將軍會後留下，寡人另有事交代。」

再接下去是王翦報告駐韓軍出發準備的情形。

秦王政指示，駐韓軍應保持高度戰備，任務有三——

一、作爲攻趙軍總預備隊。

二、監視楚軍，防止楚軍突襲。

三、準備聽令襲滅韓國。

眾大臣散去，秦王政單獨對蒙武發出口令，派蒙武前往齊國遊說齊丞相后勝，授予蒙武全權，便宜行事，威脅利誘甚至是狙殺皆可，務必要其就範。

他另指示李斯，提供蒙武一切后勝個人有關資料，以及其他必須的協助。

2

蒙武以秦國富商的身份來到齊國首都臨淄，他雖然乘的是高車駟馬，僕從甚多，幾乘後車全裝著秦國搜刮自各國的奇珍異寶，但他沒掛秦國任何官方名義，完全是私人的經商行動，他的名字也改爲蒙詢。

以往齊秦商人進行貿易，爲了旅途方便，免去許多關卡的苛捐雜稅，往往會花大錢向政府買個代表或使者之類的名義，蒙武這次正好相反。

到了臨淄，他住進一家原來是呂不韋事業的珠寶店。呂不韋在秦的產業被沒收後，這家店名義上是賣給了別人，實際卻是由在齊的秦國間諜組織接收。

這家店的女店主也就是秦國在齊的間諜組織首腦，姓齊名虹，乃是齊國的珠寶世家，世代住臨淄，也多代爲秦間諜，在間諜分類上，乃是所謂因其鄉人而用之的「因間」。

由於經營的是珠寶店，名正言順的來往各國，並在各國首都設有分號，當然他們家的人來往咸陽極其方便，秦國有大臣使者因公來齊，或是私人富商地主來齊辦事，也大都住在珠寶店所附設的迎賓館裡。

齊虹，三十歲出頭，生於趙國邯鄲，長於在趙任上大夫的姑父家，十六歲出嫁，無巧不成書，她的姑母也就是玉王后的舅媽，說來算是表姊妹，在邯鄲時見過秦王政，他登基後，她去秦國，秦王政也曾召見過她。

齊虹身材修長，極爲健美，清秀的臉蛋卻充滿英氣，平時喜歡作勁裝打扮，不施脂粉，頭髮高捲，梳成雙髻，分盤在頭頂兩邊，與一般女人的豐鬢高髻相比，別有一番韻味。

她和公孫玉正好相反，從小喜歡騎馬射箭，舞劍弄刀，據說曾得異人傳授，一身武功深不可測。

她丈夫早死，沒有留下孩子。父親幾年前過世，只有她這一個獨女，她責無旁貸的回到臨淄，繼承父親的事業——遍佈各國的珠寶分號，以及秦的間諜組織。

蒙武經李斯的安排，到臨淄來第一個要會見的人就是她。

當天晚上，齊虹帶著兩名佩劍勁裝婢女，先行到迎賓館拜會了蒙武，兩人分賓主坐定以後，蒙武先開口說話：

「這次奉命來齊，在下的任務想必夫人也知道了，全靠夫人大力協助。」

「李斯大人早就有飛鴿傳書和密使將消息傳到，命我全力配合蒙大人，有任何需要儘管吩咐。」齊虹笑著說。

「齊相后勝爲人如何？在下雖然從李斯大人那裡得到一點基本資料，但總嫌不夠，還望夫人詳細告訴在下。」蒙武誠懇的說。

「后勝爲人膽小貪貨，乃是齊國出了名的，此人可利誘也可威脅，」齊虹嘆口氣說：「我常奇怪，這種人怎麼能高據相位如此之久！」

「膽小事上謹愼，貪貨一定廣結人緣；主上喜歡，再加上利益集團的吹捧，無論做什麼都是能把持得很久的。」蒙武微笑說。

「可是齊國中下層民眾都看不起他，」齊虹氣憤的說：「朝中也有很多大臣反對他，說他採取的是烏龜政策，遇事頭一縮，就什麼都不管了。」

「這對我們秦國有利，」蒙武提醒她：「齊國擅鹽鐵之利，富甲天下，人民好勇善戰，猶存齊桓管仲之風，要是參加反秦陣容，秦國想縱橫宇內，就沒有這樣輕鬆了。」

「蒙大人對齊國的印象，也許還停留在齊桓管仲稱霸天下，以及齊襄王和田單以即墨、莒城兩地復國的故事。現在情形可完全不一樣了！」齊虹嘆口氣說。

蒙武看著面前這位英氣逼人的美婦，內心不免迷惘起來。她世代為齊人，當然對這塊土地具有深厚感情，但她又是為秦國做事，應該是以秦國利益為她的利益，這種角色顛倒的事，要由他蒙武來做，不出一年他就會發瘋。

「現在又怎樣了呢？」他不得不好奇的問。

「受賜於三十多年沒有戰爭，眞個是物阜民豐，國庫充實，糧倉的糧食發霉腐爛，錢庫裡穿銅錢的貫索都朽斷了。連民間市井小販，有的都穿珠鞋絲襪！有錢人更是夜夜笙歌，極盡享受之能事。」

「這雖對秦國有利，但在齊國本身來說，也是件好事。」蒙武神往的說：「我們日夜辛勞，冒著各種危險，驅使秦國青壯奔波天下，鮮血頭顱撒遍各國，目標不就是要天下人民都過這種生活嗎？」

「所以，齊國人現在是厭戰懼戰，聽到說國事談戰爭就搖頭。年輕人好逸惡勞，吃力和骯髒的工作都找不到人做，只有利用魏趙因戰爭而逃到齊國的難民。」

「唉，物極必反，太過安逸也會喪志，齊國如此，眞是齊國之禍，秦國之福了！」蒙武語帶感嘆，一時弄不清楚是該爲秦國喜，還是該爲齊國憂。

「齊國民間好逸惡勞不說，自后勝擔任丞相以來，更是連每年春秋兩季的民卒訓練都是敷衍了事，戰備設施及兵器用具更不必說了，很多武器裝備還是沿用三十多年前的舊東西。」

「這對我們倒是個大好消息！」蒙武高興的說：「在夫人的相助下，看來蒙武的這次任務不難達成。夫人與后勝很熟？」

「與他本人並不太熟，但和他夫人及那些姬妾倒是再熟不過了。」

「哦？」蒙武先是驚喜，接著一想，男人好貨，他的女人不會不愛珠寶，所以他不自覺又說了聲：「哦！」

「蒙大人眞是聰明人，聞絃歌就知雅意，賤妾就不用多解釋了。」齊虹笑著說。

「什麼時候安排在下與后勝見面？」蒙武想到正題。

「儘快，安排好會通知大人。」

他們隨後又談了些后勝的爲人和性格，供作蒙武遊說的參考。

兩人交談甚歡，齊虹夜深才離去。

3

后勝在丞相府密室中接見蒙武，摒退所有從人。

蒙武坐上賓客席位後，很快打量了后勝一眼。

只見后勝長得一張滿月圓臉，皮膚白皙，面色紅潤，沒有留鬚，看上去不像五十多歲的人。他未開口說話，先就親切微笑，一看就知道是個圓滑卻深具親和魅力的人。

由於齊虹背後的居中介紹，他們彼此已很了解，再加上蒙武是秦王親信，聰明能幹之名早已傳遍天下，所以雖然是頭次見面，兩人並不感陌生。

在蒙武說明來意後，出乎他意料的，后勝臉上親切笑容全失，代之的是一股看來誠懇的歉意。他說：

「秦王的好意老夫心領了，蒙先生的重禮也不敢收，全都要下人送回到齊虹夫人那裡去了。」

蒙武看著這頭老狐狸，齊國政壇的不倒翁，一時想不起該如何答話，開門見山一口拒絕，完全出乎他事前的準備範圍。他只得強笑著說：

「相國眞是太客氣了，談事不成，主客的禮儀仍在，些微薄禮只不過求見應有的儀式而已。」

「黃金千斤，無價白璧十雙，再加那麼多奇珍異寶，總算起來可說是價值連城，還能算是薄禮嗎？」后勝臉上又浮起他深具魅力的微笑：「老夫不是不想要，而是不敢要。」

「相國是否能說出原因，讓在下也好回去在敝主上面前交差。」蒙武幾乎是帶著事情絕望的口氣。

「蒙先生可以轉告秦王，齊國主戰派勢力轉強，老夫一人無法回天。」后勝臉上依然保持微笑。

「這樣說，相國是主張和秦國修好的了？」蒙武在絕望的黑暗中見到一線希望之光。

「天下人都知道，先太后君王后在世時，事秦謹，與諸侯來往也極講信用，所以能與貴國交好，卻不受各國的怨恨。她對內的政策則是極力與民休養，輕稅薄賦——有幾年甚至是田賦全免——藏富於民，所以齊國才有今天這點小康局面。」后勝嘆口氣說：「先太后去世，老夫一直是循著她的軌跡行事，但如今朝野興起一股暗潮，說是貴國最終目的是征服天下，齊國再要遺世獨立，但求自保，遲早也要滅亡在貴國各個擊破的策略下。」

「這只是趙魏的宣傳而已，」蒙武在心中暗讚這班人倒有警覺心，但口中不能不強辯：「敝國自今上立位以後，一直也想學貴國與民休養，厚積民富，出兵征伐乃是不得已的。譬如前次趙挑撥我主上與長安君兄弟相殘，它想漁翁得利，近日更一再煽動上黨民眾叛變，害我興師動眾。趙先向我挑釁，我們不得不對付。」

「那麼貴國一再攻打韓魏，又是爲了什麼？」后勝言詞銳利，卻不失去臉上的笑容。

「伐趙借道，爲了防止側背受襲，用兵也是不得已的。」

「蒙先生的不得已也眞多。」后勝笑著說。

「爲了向相國解釋，在下非好辯，不得已耳。」

這一個「不得已」引起兩人哈哈大笑，室內氣氛緩和不少，蒙武乘機說：

「敝國並沒有征服天下野心，尤其是齊楚均是強國，最多是三分天下，所以昔日齊滅宋，秦國也未干預，希望相國亦有我國昭襄王的智慧，不要插手秦趙間的事，臨淄就能長保如今的繁榮，相國自亦是爲民興利的太平宰相。」

蒙武此時語中已帶威脅。

「請蒙先生給老夫一點時間考慮。」后勝的態度軟化：「據消息，朝中主戰派預定這幾天發動一項彈劾老夫的行動，據說民間的一些士人也要街頭請願配合，夠老夫頭痛的了。」后勝搖搖頭苦笑。

「街頭請願？」這個名詞對蒙武非常新鮮。

「就是士人拉布條在街上遊行，在秦國也許是大逆不道，但在齊國卻是司空見慣，自古即有，亦為百姓表達心聲的方式之一。」

「在敝國，個人攔駕喊冤是有的，聚眾街頭鬧事，倒是沒聽說過。」

「……」后勝苦笑沒有說話。

「秦齊兩國一向修好，兩國當今主上交情也非淺，要是有人在朝中搗鬼，敝上一定是支持相國的，因為只要相國在位，秦齊就會維持和平。」

「老夫要蒙先生等幾天，也就是要看這波風潮會產生什麼結果。」后勝說：「老夫本人是一向講求和平的。」

「在下從未到過臨淄，乘此機會一遊亦是好事。」蒙武頓了頓又說：「不過百姓有時候也不能過於寵壞了。」

「老夫謹奉教！」后勝臉上又浮起那股圓滑微笑。

蒙武告辭。

4

次日，蒙武到齊虹家回拜。只見珠寶世家，氣派果然與眾不同，大宅深院，多進的房屋，亭台樓榭，花草樹木，規模宏大不下秦宮，只是少了一些王室專用的圖騰表記罷了。

齊虹親自在大門口迎接他，穿的卻是一身男人袍帶，頭上的秀髮往上盤捲成髻，作男子狀，露出白皙的頸子，好一個風度翩翩的濁世公子。

初一照面，蒙武大吃一驚，很久才定過神來，她著男裝長袍比女性勁裝俊俏多了。

她帶著他在家中庭院轉了一趟，不將他帶入客廳，反而又將他帶出門外，指著一部帶華蓋的雙駕馬車向他說：

「今天我們換一個談話方式，一來可以讓你逛逛臨淄，二來我們談話也比較方便些。」

齊虹說著上了御者座，蒙武也只有坐上參乘座位，他們沒帶任何僕從。

這是部雕刻精巧的小馬車，車身還鑲著金邊嵌著珠玉，在陽光下顯得金光閃閃，珠玉晶瑩。兩匹林胡特產的小白種馬，只有一般騾子大，但四條腿特別粗壯，尾毛濃多而特長，背後看去就像長著五條腿似的。這種馬拉車，跑起來速度超過一般馬，而平穩的程度更非任何馬所能及。

齊虹一拉轡繩，唿哨一聲，雙馬走步，車緩緩的動起來。他們先是走在一些少人走動的長巷。

「這是林胡始種馬？」蒙武問。

「你對馬很內行？」齊虹驚詫的看著他：「臨淄這樣大，只有這麼一對。」

「夫人不要忘了，將門子弟相馬，跟夫人家相珠寶一樣，靠此爲生，也各有一套祕訣。」蒙武笑著說。

「夫人夫人的多難聽，想不到嫁人不到三年，這輩子都得套上這個頭銜！」齊虹有點不悅的說。

「那蒙武該稱夫人什麼？」他在心裡想——我總不能稱妳姑娘吧？

「你自稱蒙武，爲什麼不喊我齊虹？」她嫣然一笑，自有一番風韻。

蒙武喪偶幾年，雖然府中也有多名俏婢，但他不像別的富貴主人喜歡跟下人混，他總覺得主人不管是威脅利誘，下人都是爲勢所逼的可憐蟲，男女相處，有一方面是爲形勢所逼，就沒有感情可言，也就沒有意思。

今天聞到陣陣由齊虹身上傳來的衣香和肌膚香，他久曠之餘，不禁有點醺然欲醉。

「昨天我到后勝府中……」他想藉談話消除這股綺念。

「不必說了，」她拉拉轡繩，將車放得更慢：「你跟他的談話我都知道。」

「什麼？我們是在密室中談話！」蒙武驚詫得差點從馬車上掉下來。

「什麼密室！」齊虹輕蔑的噘噘嘴，神情還像個小女孩：「在你們是密室，在我們聽得比你們對面說話還清楚。」

她格格的大笑起來，聲音有如銀鈴般悅耳。

「這是怎麼回事？」蒙武心中疑團越來越大。

「老實跟你說吧，」她還是有點忍不住笑：「后勝現在最寵的一位愛姬，正是我陪嫁的一名婢女。自小我對她就很好，先夫死了以後，我將所有家僕婢女解散，還他們自由身，前幾年我回邯鄲，發現她竟然變成后勝的姬妾，爲了任務，當然我主動接近她，後來也將她納入組織，因此后勝的一舉一動都在我掌握之中。表面上，別人認爲我是去府中推銷珠寶的，當然也不會生疑。」

「那密室又是怎麼回事？」蒙武仍然好奇。

「哦，后勝沒有那位寵姬不歡，除了上朝和出外公幹外，只要在府中就必須她相伴，因此討論國家大事的密室就設在她起居室旁邊，熟客都是要她奉茶添水，是炫耀，也是想常看到她。我們就在密室牆上做了手腳，裝上了通音管，裡外都用擺飾僞裝得很好。」

「對妳們女人眞是防不勝防！」蒙武嘆口氣說：「既然妳全知道了，妳有什麼意見提供？」

「只有等幾天再說，正如后勝的話，看這次反秦浪潮有什麼結果。怎麼，臨淄你從未來過，多玩幾天不好麼？」

「可是王命在身，哪有心情玩！」

「聽說你祖先也是齊人。」她言外有意的問。

「不錯，原先世居即墨，先父這代才事秦昭襄王。」蒙武沒有心機，照實回答。

「那你不會因我爲秦作間而輕視我了。」她笑著說。

「夫人說這話是什麼意思？」蒙武驚問。

「小時候我對先父及上幾代爲秦作間的事一無所知，直到回邯鄲後發現，其後又繼承父業以後，一直以齊人爲秦耿耿於懷，知道你的事後，我心裡好過多了。」她幽幽的嘆了一口氣。

蒙武注視她良久，心裡在想——表面如此灑脫、英氣逼人的美婦，內心竟是如此鬱悶。他只有安慰她說：

「天下本爲一家，何來秦國齊國？只是周室不振，造成諸侯割據而形成的局面罷了！爲了消除戰爭，讓百姓過長久太平日子，統一是必須的，所以妳將其想成是爲生民解除戰禍痛苦而盡力，心上會好過些。」

「多謝你的指教。」齊虹注視著他一笑，眞是百媚俱生。

「你們家是怎麼被吸收進秦間組織的？」蒙武好奇的問。

「一言難盡，有空再告訴你。」齊虹搖搖頭幽幽的說。

此時馬車已轉入臨淄東大街，蒙武注意到，這裡和邯鄲同樣繁華熱鬧，建築式樣也大同小異，但邯鄲的不夜喧嘩享樂，帶有不知明天的狂歡氣氛；這裡卻是一團懶散無知，爲了無所事事而用享樂打發時間。

蒙武在內心警惕：憂患太過，超出人所能負擔的極限，固然會使人喪氣頹廢，但安樂日久，卻會使人感到生活毫無意義和目的。

他判斷，將來呑併齊國比目前征服趙國要容易得多。

東大街和南北大街的交叉十字路口，正有大群人圍著，喧嘩聲高衝入雲。蒙武正想問發生什麼事情，只見齊虹吹了聲尖銳口哨，那對小白林胡馬空然加快腳步。她轉臉笑著對他說：

「讓我帶你開開眼界，這種景觀你在秦國是絕對看不到的！」

5

十字街口圍滿人群，連附近的茶樓酒肆樓上和屋頂都站滿了人。賣糕點、炊餅和山楂糖葫蘆的小販，將貨盤用繩子套在頸子上，穿梭在人群中推擠叫賣，吆喝聲爲人群的喧嘩增加了另一種氣氛。

齊虹在離十字街口很遠的地方停了車，因爲各種車輛早已將東西南北四條大街都堵得死死的。

齊虹帶著蒙武在人堆中擠，走到正對十字路口的一家布莊，裡面一個掌櫃模樣的老者迎了出來：

「夫人也來看熱鬧？」

「樓上有空地方沒有？」齊虹一邊答禮一邊問。

「有，有。」老者一口氣答應。

他們走上三樓一間收拾整潔的客室，這裡是專招待客戶談大批買賣的地方，今天正好便於他們欣賞。

老者帶了一個俏婢來伺候，蒙武連忙說：

「老丈不必客氣，等車子能通行了我們就走！」

「哦，那我得爲兩位準備午餐了。」老者笑笑說，語氣相當幽默。

蒙武兩人忍不住跟著笑了。

老者下樓，蒙武和齊虹並肩看著樓下人堆。只見街中央有兩批人相對而坐，一邊是一百多個儒衣儒冠的儒生，一個個盤坐、低頭、垂眼，沉默不做一聲。另一批人較多，大約有兩、三百個，他們或坐或立，有的人手上還拿著木棒和石頭，口中不斷叫罵，偶爾做出要衝過去揍人的樣子，其他的人又拉住勸解：

「在齊國每個人都有表達心意的言論自由。」

這兩批人都拉著很多白布條，儒生那方面的白布條大都寫的是：

「擁戴主上和后相國的和平政策！」

「不與秦國和平相處就是死路一條！」

「楚國不會爲我們打仗！」

「激怒強秦是惹火上身！」

「要求主上及后相國維持三十年來的不變！」

「……」等等。

另一批人拉著的白布條則是：
「打倒后勝的縮頭烏龜政策！」
「不愛這塊土地的人沒資格說話！」
「只有拚命才能保命！」
「齊楚聯合，天下無敵！」
「秦是紙老虎，不足為懼！」
「殺掉齊奸后勝！趕走所有『非齊人』！」
「……」等等。
「『非齊人』是什麼意思？他們要趕盡齊境內所有外地人？」蒙武不解的問齊虹。
「非齊人是個專設名詞，乃是指逃居齊國的魯國人，」齊虹笑了笑說：「魯滅於楚後，很多魯國貴族和知識分子不願受他們視為南蠻的楚國統治，紛紛逃到齊國定居，因為齊魯到底是同血源，言語風俗也完全一樣，楚人在這些方面，距離就很遠了！靜坐示威的儒生都是『非齊人』。」
「那為什麼又叫『非齊人』呢？既然什麼都相同，移居齊後，同樣為齊盡各種義務，應該算是齊人了！」

「因為這些居齊魯人念念不忘復國，雖然在朝中任官，或是在私家任教，或是經商致富，仍然以魯人自居，所以也就遭到本地人的排斥，為他們取了似通非通的『非齊人』這個名字。」

「這些『非齊人』佔全齊人口多少？」

「大約十分之一還多點，只是，散居各地的各階層，影響力不小，尤其是齊軍中的將領和職業基幹，多全是這些『非齊人』。」

「齊王也放心？」一聽談到軍事，蒙武的興趣就來了。

「不是完全放心，但也無可奈何。齊國太平安樂幾十年，稍微苦一點的事都找不到人做，何況軍中這種平時勞累、戰時拚命的差事！」

「那為什麼『非齊人』又肯做呢？」

「這些『非齊人』多半是貴族和將門之後，逃到齊國後，沒有根，當然經濟狀況不會好，又放不下身段做市井的事，除了做官任教，到軍中謀發展是唯一能走的路！」

「這種情形對我們有利！」蒙武自言自語的說。

正當他們談論這些的時候，耳聽樓下人聲忽然大嘩起來。他們再一看，不知道什麼時候，這兩批人馬竟已混戰起來。

那些人先用石頭攻擊這些儒生，儒生們先是低頭靜坐不理會，以不抵抗政策表示輕視，更激怒了那些人。

「×他奶奶，讓他們死！」有人叫罵。

「打死這些『非齊豬』！」

很多人衝上去，石頭棍棒齊飛，打在這些儒生頭上，立刻有人倒下，血流滿地。

儒生看到不抵抗政策無效，當然不能坐以待斃，於是紛紛起立還擊，原來他們臀部下面坐得有刀劍。儒家講究習六藝，劍術亦是必修課程之一，這下對方人數雖多，卻轉為下風。

「啊，『非齊豬』早有打架準備，×他奶奶的，大家上！」示威群中有人在大叫。

「齊人上來幫忙啊！不來幫忙就是齊奸！×他奶奶的！」有人怒吼。

「『非齊豬』殺人了！齊人快來幫忙啦！」又有人在拉觀眾。這時部份觀眾衝入街心參加了戰團，部份觀眾卻突然四散，口中狂吼著，就像被人激怒的野獸。

不知這些人哪來的武器及火種，突然刀矛棒棍和火把都出現了，他們瘋狂攻擊圍觀群眾，搶劫附近的店舖，掀翻停在路邊的車子，攆走拖車的馬，將車子砸碎放火燒。

原是嘻笑看熱鬧的群眾，這下驚惶逃散，大的叫，小的哭，有人倒下也沒人扶一下，就踏著他的身上而過。

整整四條街響起一陣劈劈啪啪的上門板聲音，店舖紛紛關門，攻擊者就用火燒，一時四處都是火光和濃煙。

「怎麼還不見城卒或衛卒來?臨淄是首都!」蒙武驚奇的問。

齊虹還未來得及答話，先前那位老者帶著幾個彪形大漢拿著兵器上來。老者對他們說：

「你們負責保護夫人!」

齊虹看看蒙武，轉頭對老者說：

「有蒙先生保護我，不需要他們，帶下去，不要妨礙我和蒙先生談話!」

等老者和這些大漢去了以後，蒙武笑著對齊虹說：

「向聞夫人武功深不可測，應該是妳保護我。」

「同舟共渡，誰保護誰都是一樣。」齊虹小聲的說。

奇怪的是，說完話她臉上竟出現難得一見的羞澀，低下了頭。

蒙武心中一陣盪漾，趕快將頭轉向窗外去。

「怎麼衛卒還未到?」蒙武感到納悶的說：「要是在秦國，剛發生打鬥，人早就被抓走了，那會造成如此野火燎原之勢。」

齊虹聞聲來看，似乎臨淄全城都在暴動一樣，連遠處也發現了怒吼打鬥聲和燒房子、燒車的火光。她嘆口氣說：

「城卒衛卒平日包娼包賭，吃喝玩樂，有事還要到處找人，沒有兩個時辰集合不攏。每次逢到這種場面，他們都是姍姍來遲。有人問過衛尉大夫和城尉大夫，他們說是讓雙方面兩敗俱傷，殘局比較好收拾，吃飽白米細麵沒事幹，用打架來做消遣，那就讓他們打個痛快。」

正說話間，只聽陣陣悶雷似的車輪滾動聲，以及急如驟雨的馬蹄聲，由四城向市中心捲來。紅色的騎兵部隊，黃色的戰車隊，盔鮮甲明，旌旗在陽光下翻飛，看上去軍容不錯，但再仔細一看，用的兵器眞如齊虹所說的三十多年前的舊傢伙，居然銅兵器居多。

這些部隊上陣殺敵，戰力如何，齊國已三十多年未經戰爭的考驗，所以無法知道，但對街頭鎭暴的確有他們一套。

他們先是用鐵甲重騎兵並轡齊鞍的向前後行，不留一點空隙，兩旁店門都已關上，暴亂群眾兩邊沒有逃路，見機早的由小巷溜走，練有武功的，翻牆爬屋逃走。一些反應遲鈍或是打殺搶劫變得瘋狂的暴徒，等發覺時已被逼到十字路中心點，然後戰車上來丟下一捲捲的刺絲將這些暴眾圈圍起來，再向圈內丟下大批削尖的竹釘。

暴眾的棒棍石塊對持著盾牌的重騎兵根本起不了作用，在被包圍後，更是無計可施，沾不上騎兵的邊。

但這些被包圍的暴眾開始不理不睬，仍然在圈內混戰，根本分不出什麼齊人、「非齊人」。

等到頭腦清醒後，他們又一致對外，辱罵那些騎兵。

「鄉親們，自己人不抓自己人，去鬥你們的『非齊豬』長官！」說這話的人擺明是「齊人」身份，立刻遭到圈內「非齊人」的攻擊和辱罵，其他的「齊人」又圍上來幫忙打「非齊人」。

打累了又停止下來一致對外，辱罵騎兵和戰車部隊。又有人在辱罵的時候表明了「非齊人」的身份，於是遭到「齊人」的踢打，「非齊人」上來幫忙，又惹起一場混戰。

這種混戰周而復始在圈內進行，騎兵就騎在馬上看著，一副事不關己的樣子。他們渴了，身上水壺有水，餓了可以換班用餐。

圈內的人渴了餓了，打不動了，才發覺身上的傷口在痛在流血，才想起家人還等著他們買米下鍋，有的自怨自艾，有的甚至放聲哭了出來。

「還要看下去嗎？」齊虹笑著問。

「嗯，我想看個結果。」蒙武回答。

「這還要等幾個時辰，」齊虹用手比了比：「還是我們先走，讓我來告訴你結果，這種場面我見多了。」

「也好，」蒙武說：「結果如何？」

「等到這些人渴了，餓了，打累了，城卒會將刺網開幾個孔道，然後要他們排隊，一個一個走出來投降。」

「投降後怎麼處理？」

「送醫，交家人領回，有確切證據的也會判刑，但那是微乎其微。」

「難怪下次還會鬧事，在秦國要發生這種情形，鐵定會處死很多人！」蒙武嘆口氣說。

「你有什麼感觸，如此這般嘆氣？」齊虹以袖掩口而笑，雖然穿的是男裝，仍然脫不了女兒嬌態。

「為齊國嘆，為秦國喜，假若齊國內部再這樣分裂內鬥下去，我敢保證可兵不血刃佔領齊國。」

齊虹垂首不語，神情黯淡。

6

他們在街道旁邊的燒砸殘骸中找到自己的車子，還好車子尚稱完整，只是鑲上的寶石金玉全被人用利刀挖割走了。兩匹林胡馬的引繩已被割斷，但寶馬認主，隔著很遠就跑了回來，牠們以頭擠擦齊虹，狀甚親熱。

他們套好馬，上了車，齊虹嫣然笑著說：

「我們正事未談，卻看了半天打架，現在是回賓館，還是繼續談事？」齊虹策動馬車轉頭問。

「當然是談事重要。」蒙武暗暗心驚，發覺自己竟有淡淡的捨不得她離開的感覺。

「要談事也得顧著肚子，」她仰頭看看太陽，都已快正午時分：「這樣吧，談話的地方再怎麼祕密，都不如在這車上，這就是所謂最公開的地方也就是最隱祕的地方，不會引起別人的注意。」

「我同意妳的話，尤其是經過后勝密室的事以後。」他笑著說。

她又格格的嬌笑起來。

他們在東門城門口一家小茶樓買了點燒雞炊餅，並向店家要了一壺水。又再上車以後，齊虹說：

「到城外去，那裡的風景絕佳，談餓了，我們就在車上野餐。」

「這個主意不錯。」蒙武衷心贊同。

「那就坐好了，我要快馬加鞭，讓你看看林胡馬拉車的腳力！」她一揚鞭，在半空中畫著圓圈，接連劈啪出聲，鞭子並未落在馬身上。她口中吹起尖銳的唿哨，發出喔喔的叫聲，只見兩匹林胡馬速度突然加快，四蹄翻飛，兩點著地，粗濃的馬尾水平挺直，就像兩根白玉石柱，牠們騰起、落地，節奏完全相同，因此車身只是前後有韻律的搖動，平穩得有如輕舟行進在平靜的湖面上。

蒙武抓緊座前把手，轉頭側視齊虹，只見她鬢髮揚起衣袍鼓脹，襟角隨著風勢啪啪作響，有如吹滿風的船帆，臉色嚴肅專注，又像尊美麗女神。

「美麗女人駕車，姿態也比一般人美，即使是穿了男裝！」他在心裡由衷讚美。

另外，他看到遠山如畫，道路兩旁地裡，麥子正熟，遠近一片金黃，他不覺又感慨起來，他的祖先曾在這塊土地上撒種耕耘，可是他自己卻變成這塊土地的敵人，他來不是為了親近它，依戀它，而是為了算計它，謀害它。

現在他完全明瞭齊虹的心情了。

他們在一處小山邊停車，下車解掉兩匹馬的服軛，來到一棵枝椏參天的大樹下，坐靠在樹幹上，一邊吃燒雞一邊談起來。

他們談到齊國昇平日久，生活沒有目標，而面對強秦縱橫天下，大多數的人都感到惶恐又無對策。

今天這兩批人正好代表齊國的聯秦反秦兩種意見，可惜的是這些人打鬥流血，甚至是坐牢，完全是做了朝中政客鬥爭的工具。

照今天的情形看，反秦派佔了上風，圓滑的后勝是否會害怕反秦勢力而見風轉舵？

齊虹在草地上折了一朵白色小花聞了聞，插在髮上，她堅決的說：

「看樣子，我們必須推后勝一把！」

「我不懂妳的意思。」他不解的看著她，一面欣賞她嫵媚的神情。

「后勝膽小，怕主張聯秦，反對勢力會對他不利，所以這次我們的利誘對他發生不了效果，」齊虹沉吟的說：「他平日貪財好貨，廣蓄資財，並且大批投資在楚國的木材礦業上，在楚國更置有別業田莊，因此用齊國的安危來威脅他，收效也不會太大。」

「妳的意思？」

「反對勢力威脅他，假若他聯秦，就要殺害他的家人。」齊虹感到好笑的說：「堂堂丞相，居處警衛森嚴，出入護從如雲，他也眞信這種恐嚇！」

「有錢人怕死，這是人之常情，」蒙武笑著說：「何況不怕一萬就怕萬一。」

「所以我想到一個辦法。」齊虹帶點神祕的說。

「說來聽聽。」

「我要告訴他，聯秦，那些反對勢力只是口頭恐嚇，不見得做得到；而背秦，隨時都可以要他的命。」齊虹語氣嚴厲，美麗的臉上出現殺氣。

「妳要怎麼個做法？」蒙武問。

「是否能由我全權去做？做完你就會見到效果，不再是你去找他，而是他要急著找你！」

「不能告訴我嗎？」蒙武無可無不可的問。

「能不告訴你嗎？」她只調動一個字的反問。

「當然可以，」他坦然的笑了：「你們爲間的人，做起事來都是神祕兮兮的。」

她沒有說話，只是神情突然黯淡，轉過臉去，明媚的大眼裡竟閃動著淚光。

「妳怎麼啦？」蒙武關心的問。

「沒什麼，」她從袖口掏出手絹擦了擦眼睛：「你先前不是問過，我們家是如何納入秦間組織的嗎？」

「不錯。」

「還想不想聽？」

「當然想聽！」蒙武高興得坐正身子。

7

「幾代以前，我們家很窮，可說是窮得家無隔宿之糧。後來在偶然的一個機會裡，救了一個受傷倒臥在雪地裡的年輕人，這個年輕人很感謝我那位祖先的相救，傷好了以後，坦白告訴他，他是秦國派在齊國的『生間』，所謂『生間』就是往返秦齊蒐集報告情報的間諜。那天就是遭到對方間諜的追殺。

後來他的傷完全好了以後，送了很多金子作為報答。他在我們家養了近三個月的傷，因此在養傷期間和我那位祖先結成莫逆之交，無話不談。他說，最好的醫貧辦法就是參加秦的間諜組織，這不但可以改善家境，而且他能使我家一夜之間由赤貧變為巨富。

我那位祖宗也許是窮怕了，就一口答應了。於是他帶著我那位祖先到了秦國，受過一段間諜訓練以後，帶了很多珠寶玉石回來，我那位祖先也由市井販漿之徒，搖身一變為珠寶商人。經過幾代來的眞實經營，以及秦國由我們這裡轉交的賄賂買通經費，我們家儼然成為臨淄鉅富。

但是到了先父手上，雖然他已變成臨淄首富，卻一直心中感到矛盾不安，為異國算計和出賣自己的國家，只要還有點良心的人都會感到痛苦，所以他想，做秦間就做到他這一代為止。你也許不知道，一加入間諜組織，一輩子就是組織的人，根本不准脫離，自行逃離的，逃到天涯海角也會遭到追捕擊殺。因間更爲可憐，一踏入這個圈子，不僅是一輩子，而是要選一個兒子繼承這項工作，然後子傳孫的這樣傳下去，世世代代都不能脫離，否則，就會遭到所謂『家法』處置。『家法』處置通常手段都非常殘酷，組織可能是透過關係密告朝廷，也可能是派殺手殺你的全家，弄得你滿門抄斬。

先父開始時還慶幸他沒有兒子，賣國做秦間只做到他這一代爲止，因此自小將我送到趙國國都邯鄲姑媽家養，只等到我十六歲就急著找人家將我嫁了。女兒嫁了就是人家的人，不用再繼承父業，想不到丈夫早死，組織仍逼著先父把我找了回來！」

說到這裡，她長長的嘆了一口氣。

「妳那時應該找一個人再嫁，」蒙武半開玩笑的說：「就不會再陷入這個泥淖了。」

「我當時什麼都不知道，先父也不便說明，只是一再勸我改嫁，引起我的反感，我就偏偏不再嫁，誰知道裡面還有這層原因。」

「那妳什麼時候知道內情的？」蒙武問。

「先父得病，死前不久。」

「妳可以拒絕。」

「我拒絕過，父親流著眼淚要我答應，否則會危及家人，當時先母還在世。」齊虹轉臉注視著蒙武，感傷的說：「先母前年過世，我雖然是富可敵國，卻是孑然一身，世上沒有一個直屬親人！」

蒙武一時不知該如何回答。

「蒙大人，」她突然口氣一轉：「你是否願意幫我一點忙？」

他聽到她喊大人，不禁大吃一驚，她爲什麼這樣正式？他連忙回答說：

「只要在下能辦得到的，一定遵命。」

「在這次事成以後，在秦王面前爲賤妾美言幾句……」

「這是理所當然的，」蒙武連忙答應：「我會爲夫人的功勞作證。」

「蒙大人，你誤會了，」她撇撇嘴，輕蔑一笑：「賤妾不是爭功，而是要秦王特准我家除去閭籍，還我自由之身。你可以轉陳他，賤妾什麼都不要，現有的產業，包括我們家幾代努力辛苦經營賺來的都可以充公，請他指示李斯李大人，另物色齊國的負責人。」

蒙武不知該如何作答，只是連連說著：

「這又何苦！」

「你做過爲別國傷害自己國家的事沒有？」她眼中又是淚光閃閃。

「到目前爲止，好像還沒有，雖然我祖先是齊人，但我生於秦，長於秦，生活習慣以及內心認同，全都自認爲是秦國人了。」

「有一天要你率兵來攻打齊國呢？你會有什麼感覺？」

「我還沒想到這一點。」他搖搖頭，推拖的說。

「等你想到就已經爲時太遲了。我現在就可以告訴你那種感覺：你會常感愧疚，晚上還會做惡夢，每逢午夜醒來，清明在躬時，你會爲自己所做的這些事感到無地自容。假若你領兵攻齊，殺了一個人，除非你的良心完全泯滅——看你的樣子，你不會——半夜醒來，你都會心頭滴血！」

「這樣說來，主上將來要我率兵伐齊，值得考慮一下？」蒙武說話的態度仍不太認眞。

「你願意爲賤妾在秦王面前說項嗎？」齊虹急切的問。

「你們組織有你們的家規，主上是否可以干預呢？」蒙武爲難的問：「還有，王后是妳表姊，也許她在主上面前說話更有力量。」

「主上命令應該有效，」看來她也沒有把握：「表姊那個地方我提過幾次，她都婉言拒絕了。」

爲了打破這股尷尬的沉寂，蒙武另外找話說：

「脫離以後，妳又要到哪裡去？一個人沒有生活目標會很無聊的！」

「一身一劍，遨遊四海，」她眼中出現夢幻：「也許找一個青衫知己相伴，浪跡天涯，或是找個山明水秀的地方住下來，生兒養女！」

蒙武看得出她說的是眞心話，而且是蘊藏在心中已久的憧憬，因爲她說話的時候沒有一點誇張或是忸怩作態。

他看著她，心裡卻在想著自己，喪偶已久，兩個兒子蒙恬和蒙毅都已長大。

蒙恬十八歲，自小喜愛兵法，行事處眾，隱約顯出有大將之風。

蒙毅十六歲，學習典獄文學，頗有政治天賦。

這兩個兒子從小都能獨立，沒讓他這個單親父親操一點心，假設協助秦王平定天下十年可成，到時候這兩個孩子應該都已成家立業，而他也是功成身退。要是能有她這樣一個蕙質蘭心的紅粉知己相伴，無論是遨游四海或是息影林下，豈不是比陶朱公偕西施歸隱更有福氣！

「你在想些什麼，爲什麼不確實回答我的問題？」

身畔的她正在發嬌嗔。

「哦，在下會盡力的。」他囁嚅的說。

「算了，看你這副敷衍的樣子！不要緊，我自有打算。」

她突然間變得煩躁起來，吹著口哨喚來兩匹正在啃青草的小白種馬。她駕好車，坐上了御者座，蒙武跟著上了參乘座，她皮鞭在空中揮動圓圈，口中喔喔連聲，兩馬躍然而動，一開始就用大跑步，差點將蒙武摔下車來。

她的臉又恢復了駕車時的嚴肅專注，始終沒有再說一句話，比來時增加的，乃是臉上一層沉重的憂鬱。

他緊扶座前扶手，只聽得耳邊西風呼呼，天空中大塊大塊的烏雲，由遠處地平面向著他們飛來。

他對她心中充滿歉意。

8

蒙武在臨淄整整等了一個月，和齊虹相偕出遊的時間居多。在這一個月中，他們至少看到三、四起街頭遊行的打鬥鬧劇，他忍不住心裡想——

齊國濱海，民風強悍好鬥，但如今已被奢侈淫佚的風氣所腐化，加上昇平日久，民眾都懼戰厭戰，年輕一代更不知戰爭爲何物，這是后勝雖然貪婪平庸，仍然能長久執政的主要原因。

如今朝中有反對勢力出現，他們發動民眾街頭示威抗爭，有的激烈份子和不良流民就乘機打劫，將示威變成暴動結束。

這些反對勢力中的大臣，並不是對秦可能的侵略有了認識和覺醒，他們基本目標是要借群眾鬧事逼后勝下台。實際上他們中間很多人同樣接受楚趙賄賂，在國內也和后勝一樣，朋比爲奸，集體貪污。

他們口中喊的是聯楚援趙和誓死保衛祖國的口號，但在暗中行動上，他們早在楚國治產，有的甚至將產業設在巴蜀和秦國境內。

他們和后勝一樣對抗秦沒有信心，深怕戰火會蔓延到齊國來。但他們已準備好退路，所以刺激群眾，弄亂齊國，成可以拉倒后勝，讓他們當政；弄糟了引得秦兵入侵，他們也可逃到楚國和巴蜀，繼續作他們的產業主。

他們已打好了如意算盤，怎樣都立於不敗之地，齊國本身利益並不是他們最重要的考慮。

蒙武看得出，這種內部鬥爭、力量抵銷的情形對秦大爲有利，但想到自己的祖父代就是齊人，他又不免痛心。眞如齊虹所說的，有時午夜夢迴，他開始會有種刺心的內疚。

自從上次城外回來後，齊虹再不和他談自己的事，只是告訴他，她已經在進行說服后勝，要他稍安勿躁，這幾天就會有結果。

他在想，做間的人，尤其是女人，總是喜歡那樣神祕兮兮，故弄玄虛，不過，他不便於問什麼說什麼，他只有耐心等候。說實話，他的日子並不因等待而難過，每天和她出遊，歡愉、興奮，他眞希望事情慢點有結果，他有藉口可以留在臨淄和她在一起。

忽然有一天，在他們駕車同遊河上時，她笑著向他說：

「你準備一下，這幾天齊王恐怕會召見你。」

「齊王召見我？」他驚奇的看著她：「妳幾乎每天都跟我在一起，難道說事情就這樣辦成了？而且不是后勝找我，乃是齊王召我？」

「你這個將門之後應該會熟讀《孫武兵法》，」她俏皮的諷刺他說：「還記不記得《孫武兵法》上所說的：『微乎微乎，至於無形；神乎神乎，至於無聲；故能爲敵之司命。』」

「先前只說妳蕙質蘭心，天生美麗聰穎，想不到妳還胸懷甲兵，眞是佩服！」蒙武語氣半開玩笑，內心卻是眞的折服：「能不能告訴我，妳是怎樣無形中辦到的？」

「現在還不能說，要等到齊王召見你以後，事情一切妥當，才能告訴你。」她故作神祕的說。

「爲什麼？」

「不爲什麼，要是齊王不召見你，告訴你還不是白說。」

「……」

果然，不出三天，齊王在便殿密室中召見了他，由后勝陪著。他主動向他表示道歉，因爲國內多事，后丞相忙著處理，雖然早知道他來，但不便召見，如今政策已定，他要明白宣示齊國和秦國和平相處的決心，不過他要先聽聽秦王所許下的條件。

這點蒙武早經秦王授予全權，於是他和齊王及后勝幾經討價還價的結果，達成幾點協議。

秦方承諾——

一、與齊訂定互不侵犯盟約，保證絕不向齊用兵。

二、齊國有在巴蜀買礦產及開採權。

三、齊國商人至秦貿易，除了貨物稅外，其他雜稅規費全免。

四、齊國因與秦交好而遭到其他各國攻擊時，秦有義務出兵相助。

五、……。

齊方承諾——

一、在互不侵犯盟約有效期間，齊絕不與其他國家聯合對秦，絕不提供人力、物力及糧食援助。

二、齊絕不出賣軍用物資給與正在和秦作戰的國家。

三、禁止反秦公開活動。
四、禁止朝中大臣公開反秦言論及活動。
五、派特使赴秦正式訂約。
六、……。

在達成這些口頭協議後，第二天后勝就向朝中反對勢力開刀，將他的對手全打入閑職。同時以齊王名義頒發詔命，禁止街頭打架鬧事，遊行示威須事先提出申請，否則強制解散。因集會遊行示威而發生事故者，申請人法辦，現行犯一律逮捕治罪。乘機打劫、縱火者，逮捕究辦，拒捕者格殺勿論。

這樣一來，朝中反對后勝的勢力一舉清除。那些大臣還想利用民間活動展現實力，用民眾示威請願威脅后勝。但奉到王命後，后勝表現出他凶悍的一面，接連逮捕幾千人，斬首示眾幾十個後，以往活躍的街頭活動終於沉寂下來。

蒙武發現到，在長遠來看，這次蒙利的是秦國，但在近期利益來看，收獲最大的是后勝，由他的行動看得出他已準備很久。這次他正好借蒙武的力量說服齊王，徹底消滅了朝野反對他的勢力。

后勝眞是老狐狸，犧牲國家利益來換取自己的利益，但齊虹是用什麼辦法使他敢於下決心，不怕反對勢力的刺殺？

在他一再追問下，她只得告訴他說：

「事情非常簡單。那天晚上，我到我陪嫁婢女——也是他的寵姬——那裡，說服她在他酒後熟睡以後，將自己一頭美麗的青絲剪光，由她將他綁起來，然後自綁，並將他頸上的玉珮交給我，而我有意由警衛處飛身而過，要他府中鬧了一夜飛賊。」

「這樣說妳承認妳會夜行術了。」他笑著說。

「……」她不承認也不否認。

「就這樣簡單？」

「另加上一張字條——抗秦者死！」

「妳立了大功了！」他衷心爲她高興：「哪天我設宴爲妳慶祝！」

她默然無語，他再一細看，她竟是淚如泉湧，滴濕了衣襟。

他也不覺一陣黯然。

9

蒙武圓滿達成任務，行動再也不像來時那樣祕密，齊王召宴他，要眾大臣相陪，臨走還由丞相后勝在西門外長亭，親自設宴祖道送行。

齊王還派了個特使團跟著他赴咸陽，正式簽訂互不侵犯盟約。

至於圓滿達成使命的捷報，除了齊虹用飛鴿傳書向間諜組織提出報告外，蒙武也派出健騎，換馬不換人的日夜急馳，向秦王政稟奏。

就在祖道宴畢，蒙武和特使團已就車上路，丞相后勝所率領送行大臣紛紛上車回城時，空然有一匹快馬直奔蒙武車隊馳來。

蒙武先以為是事情有變，齊王臨時反悔，但再馳近時一看，原來是齊虹府中的家人。他正在想著齊虹，以不能在臨行前向她親自辭別為憾。他已幾天不見她，而且他每天上門辭行，全都為守門者所阻擋，只有一句話：

「小姐有病，不見客！」

「大概是她改變主意了，派人送點紀念品給我！」蒙武自己也奇怪，為什麼自己會這樣興奮。

他摸摸腰間掛的玉珮，等下只有送這個以示禮尚往來了。誰知來騎趕上車隊，翻身下馬，跪伏在道旁，口中卻大喊著：

「啓稟蒙大人，小姐有急事，希望大人能回府中一趟！」

「你家小姐找我？」蒙武奇怪的問。

「不是小姐找大人，而是府中出了大事，懇求大人回府一趟。」說著話時，他還左右環視旁觀的隨從和趙國使臣。

蒙武明白他的意思，這裡不方便說話，於是他向齊國特使上大夫管季說：

「管兄請先行，在下會隨後趕上。」

管季笑了笑，其他特使團人員和隨從也都發出會心微笑。每個人都在想，蒙武這樣俊秀的風流人物，在臨淄種下點什麼情緣也是正常的。

特使團車隊繼續前進。這名家人也就翻身上馬在前面帶路，蒙武跳上一匹馬跟著急馳，心中無限納悶。

他在進入外進堂前下馬，那名家人將馬接過去，堂內早有一名女婢焦急的等著，一見到蒙武就趕快上前迎接，口中還說著：

「蒙大人肯來就好了！」

「到底發生了什麼事？」蒙武著急的問。

那名俏婢也不答話，帶著他穿過重重庭院天井，最後來到後花園的小樓。

上樓以後，她在一間臥室門口稟報：

「小姐，蒙大人來看你了！」

「誰要你們去麻煩他的！」齊虹在屋內的聲音分辨不出是怒是喜。

蒙武稍作猶豫要不要進去，俏婢已推開房門，躬身作請進狀。蒙武只有硬著頭皮進去，在帷帳外一個錦墊上坐下，俏婢忙著奉茶的時候，蒙武打量了四周一下，發現臥室大而寬敞，布置裝飾簡單而方正剛勁，頗符合齊虹的個性。

俏婢在奉茶以後，捲開錦帳，走近蒙武身邊悄聲的說：

「蒙大人不靠近點去看看小姐？」

蒙武當然不肯在下人面前示弱，他裝作大方走向牀邊，心裡卻在想，雖然多日在一起，肌膚相親、耳鬢廝磨的情形，都曾偶爾有過，但未經登堂就已入室，心裡總有那麼點彆扭。

齊虹躺在牀上，兩眼看著他，不作一聲，臉色蒼白，像是大病很久的憔悴。才幾天不見，什麼病把她折磨成這個樣子？

「妳怎麼啦？生病也不讓我來看看妳。」他接近牀邊，卻仍然不敢在牀邊坐下，只有躬著身子問。

「小姐昨晚割腕……」俏婢細聲在他身後說。

「誰要妳多嘴，滾出去！」齊虹叱喝，語氣仍然聽不出是發怒還是嬌羞。

她翻身向內，又復沉默。

俏婢伸伸舌頭，調皮的做了個鬼臉，出去將門帶上。

10

蒙武在牀邊坐下，看看她撒在雪白枕頭上的黑緞般秀髮，又憐又惜，心中感慨萬千，卻不知該從何處說起。

他拿起她放在錦被外的左手，那隻包纏厚厚棉花紗布的手，有金創藥的刺鼻味，也有滲出來的絲絲血跡。

「妳為什麼要這樣傻？」他心疼的問。

「……」沒有反應。

他又接連問了兩次。

「不要管我，」她哽咽著說：「讓我死，一了百了！」

「為什麼這樣？妳立……」他本想說她立了大功，脫除間諜籍有望，但他立即警覺而煞住底下的話。

「我立了什麼？」她眞是反應奇佳的間諜人才，由這兩個字就猜到他下面要說的話：「你是說我爲秦立了大功，也許可以要求除籍？」

「……」不否認就表示承認。

「蒙武，」她直呼他的名字，聲音又恢復剛勁有力：「你才錯了，有了這次大功，他們更不會放過我！」

「我會爲妳在主上面前說話。」蒙武安慰她說。

「沒有用的，他們在齊國找不到比我更好的人選和基業。交遊廣闊，又是女人，優遊自在的行走於後宮王后、夫人及君侯重臣府內閨閣之間，沒有人懷疑，所得到的都是閨中的第一手消息，要進行遊說，走的是最有效的內線和裙帶關係。再有，我們家是齊國百年珠寶世家，無論有什麼事都懷疑不到我們頭上！」

「總是有辦法的，他們派在齊國的主持人絕對不止妳一個，只要主上下令，他們會另外物色人選的。再說，你們家都做了百多年，而妳也忍耐了這久……」

「主上，主上，」她氣憤的打斷他的話：「他是你的主上，秦國的主上！忍耐，忍耐，自從辦好了這件事，你知道我過的是什麼日子？」

「齊虹，」他情感衝動，不自覺的也喊著她的名字：「辦法總是有的，我一定會在秦王面前爲妳說話。」

「不要傻了，蒙武。」她嘆著氣搖頭，他才發現到她露在枕頭上的螓頸，竟是如此之美。

「這明明不是辦不到的事。」蒙武帶著鼓勵的口吻說。

「蒙武，軍人子弟都帶點憨氣，將門之後總有那麼點愚忠，總認為立功就會受賞，」她仍然背對著他嘆氣：「還有，我是你什麼人？憑什麼為我說如此關係重大的話？秦王問起來，你要怎麼回答？」

他一時為之語塞。

「忍耐？我真的忍耐不下去了！這幾天我夜夜做惡夢，夢見秦軍大隊人馬若入無人之境，浩浩蕩蕩的開進齊國，他們姦殺搶劫，縱火燒屋，無惡不作，齊國軍隊只有望風披靡，搶著逃命的份。」說到這裡，由於情緒激動，她有點氣喘，咳起嗽來。

「妳身體還虛弱，休息一會。」他不自覺的為她輕輕拍背，憐惜的替她整理好壓在身下的散髮。

「我昨晚又夢到好多齊人圍著我咬打，口裡叫罵著我是齊奸，說要不是這次我威嚇住后勝，齊國會協同各國抗秦，齊國就不會落到這種任異國蹂躪，毫無抵抗力的地步，是我使齊國有了錯誤的安全感，所以我才……」

突然，她轉過身來，滿臉涕淚的抱緊了他，喃喃的哭著說：

「我怕，眞的！我好怕！尤其是在昨晚聽到你今天返秦的消息以後！」

蒙武愛憐的撫摸著她的頭髮，將她的傷手輕柔的移到自己的頸上，他堅決而緩慢的說：

「我不放心讓妳一個人留在這裡，立刻收拾一下，我要帶妳走！」

他抬起她的淚臉，用袖口爲她輕輕擦乾，笑著說：

「秦王要問妳是我什麼人，憑什麼爲妳說情？嗯……妳說我該怎麼回答，嗯？」

「隨便你！」她閉上眼睛，微笑，菱角形的殷紅嘴唇半張，露出編貝似的美齒。

「嗯……我就說妳是我的妻子！」

他實在抗拒不了美的誘惑，他吻了下去。

11

雖然說是立即，但很多事情需要交代，等蒙武和齊虹處理好一切公私事務能夠出發，也已經是三天之後。

他們在韓首都新鄭趕上特使團車隊，在那裡得到秦軍正在平陽和趙軍激戰的消息，等到他們回抵咸陽，朝野上下正陷入一陣勝利後的狂歡。

十三年十月，秦將桓齮率二十萬大軍攻趙平陽，趙派扈輒領軍三十萬來救，兩軍在汾水以東進行會戰。秦軍背水列陣，置之死地而後生，拼死而戰，大發神威，個個奮勇向前，以一當十，以百作千。一場會戰下來，趙將扈輒陣亡，秦軍斬首級報功者高達十萬，傷敵不計其數。

數萬趙軍殘餘退入太行山區，才免除全部遭殲的命運。消息傳到邯鄲，只會尋歡作樂的趙王遷，驚嚇得差點從寶座上掉下來，趙國群臣更是束手無策。

秦國方面情形正好相反，報捷請賞的軍使不絕於途，魏、韓迫於情勢，也不得不派使前來道賀。

對秦王政來說，他親自經過兩次戰鬥，全是內戰，雖然是他贏得勝利，而且勝利過程也非常輕鬆，但都傷到他的心靈，勝與負都傷害到他和秦國，他無法眞正的高興起來。

雖然，自他登基以後，秦國不斷向外發展，除了內鬥激烈的那幾年外，秦軍幾乎每天都在國外攻城掠地，但那些戰爭都是由呂不韋和蒙驁等人在主導，他隔離得太遙遠。

但這次戰爭完全不同，從構思、計劃、監督執行、改正前方將領的錯誤，一直到後勤補給、兵員補充的督導，他莫不全程參與，而且是居於主導地位。

他發覺到，戰爭本身是一種最富刺激的遊戲，弈棋和賭博都會使人廢寢忘食，何況是下了無法悔子，輸了就賠上萬千、死而不能復生性命的戰爭！

他發現他喜歡戰爭爲他帶來的刺激、冒險和成就感。

他喜歡在作戰指揮室聽取戰報、商議對策而致通宵不眠的氣氛。

他也喜歡聽到戰事暫時失利、沮喪而後奮發，對問題苦思而後找到答案，終於決定面臨挑戰的那股興奮。

當然他最愛的是這份勝利的感覺，前方回報的軍使，個個喜氣洋洋，群臣朝賀，全都是喜悅發自內心。

巡行在道上，百姓高呼萬歲，空城空巷夾道歡迎，不只是因爲他是秦王——他們的統治者，而是因爲他爲他們帶來了勝利和光榮，他是英雄。

蒙武和齊虹這次回來，正好趕上這股歡欣的熱潮。他和王后在南書房招待了他們，齊虹和王后這對表姊妹多時不見，當然多的是話要說。蒙武向秦王政詳細報告這次達成任務的經過後，不知哪來這大的勇氣，他單刀直入的要求秦王政賜婚並解除齊虹的間籍。

秦王政正在興奮頭上，還有什麼不能答應的！在公，齊虹爲秦立了大功，解除今後攻趙擊楚的最大威脅；於私，她算起來應該是他的表姨，蒙武是他最欣賞的人才，在他眼中這是一項珠聯璧合的婚姻。

蒙武要求賜婚。

好！秦王政答應他和王后主婚，除了家宴以外，秦王親自為他設宴招待群臣，連久不在公眾場合出現的太后也會親自駕臨。

蒙武請求為齊虹脫間籍。

那還有什麼話說！她既然是他的妻子，當然要在秦國定居，哪有時間到齊國主持間事。他當著蒙武和齊虹的面下手諭給李斯，要他立即另物色人選。

蒙武和齊虹都感激得涕淚橫橫，避席俯伏，接連叩頭謝恩。

蒙武求賜婚假一月，讓他們婚後可以優閒的遨遊渭水之上，婚假滿後再赴王翦軍中。這是蒙武多年來的夢想，也是齊虹日夜所企求的。一個不再有公務纏身，一個完全洗刷了內疚，完完全全恢復自由自在的女兒身。兩個相愛的人享受兩人獨有的兩人世界，這種快樂溫馨豈是「只羨鴛鴦不羨仙」這句話所能形容的！

那怎麼成！一個月的婚假怎麼夠？他賜他們婚假三個月，快快樂樂的度假。當然他們可以遨遊渭水上，其實涇水畔甘泉山的風景更佳。他在那裡有座別宮，假若新婚夫婦喜歡的話，還可以進宮去住一段時間。只要他們不怕勞累，他建議他們洛水旁的山川形勝特美，他自已曾去遊過，真的是樂而忘歸！

蒙武和齊虹沒有其他的要求了，他們拜辭，秦王政及王后親自送到書房門口。

蒙武衷心感激，誓死效忠不說，連齊虹對秦王政的印象也有了改變。

「英明聖武，謙恭下士，處事明快，體念臣意，秦國要想不征服天下也不可能了！」這是蒙武的讚嘆。

「凡事都有正反兩面。英明聖武一轉就是察察爲明，多疑善變；謙恭下士的延伸就是飛鳥盡，良弓藏，狡兔死，走狗烹；處事明快的極致就是暴虐深刻，反臉無情；體念臣意對臣本身最大的害處，就是你爲他賣了命，還會對他心懷感激。」這是齊虹的警惕。

「不談這些掃興的話，」蒙武興奮之餘，聽不進她的話：「渭水，涇水，甘泉山上，我們都要盡情一遊。只是洛水太靠近戰場，會讓我興起髀肉重生的感覺，不去也罷。」

「我最想的還是早日息影林下，爲你燈下紡紗課子！」齊虹嘆了口氣：「蒙武，你會不會罵我太不知足？」

12

在蒙武和齊虹走了以後，秦王政忽然又想起韓非這個人。

他笑著對王后說：

「我軍已攻佔平陽諸城，如今正在整頓休補，隔進攻邯鄲還有一段閑暇時間，要不要找韓非來談談以法治國的道理?」

「我自讀他的《孤憤》、《說難》等書以後,也一直想見見他,當面向他請教,只是說要他來,他就會來,沒有這麼容易,而且也非待客之道。同時,聽說他爲人甚爲孤芳自賞!」

「這寡人自有辦法,請不來一個韓非,寡人如何求才招士,又如何平定天下!」

秦王政哈哈大笑。

王后暗暗皺眉。

第14章 韓非遭忌

1

在秦王政巨大壓力下，韓王只得派韓非出使秦國，希望能藉韓非的遊說，緩和一下秦軍的攻勢，讓韓國透一口氣。雖然韓王安對這位堂兄學者並不抱太大的希望，他總認為韓非只知道談理論，本身並不通曉權變，而且性急口吃，有時說話會得罪人，但他抱著希望，既然秦王如此看重他，多少對韓有利。

韓非以前也曾對他多次進言，要他建立制度，注重法治，他總覺韓非立論迂濶，短時間見不到效果。而韓國地小力弱，夾在楚秦兩大之間，兩強交戰，它必須在中間遭殃，如今秦國更是明目張膽，公開宣稱要去掉這根哽在喉嚨的魚骨，韓非還在跟他說什麼人性本惡，需要法律來規範，現在送他到秦國去，至少可落得一個耳根清靜。

秦王政對韓非倒是竭誠歡迎的，在召集百官上殿，隆重的接受韓非呈遞的國書後，晚間更以國宴招待，丞相等大臣作陪。

宴畢，秦王政待群臣散去，單獨在南書房招待韓非，連趙高都未帶，李斯也未奉邀，兩人都是又羨又妒，恨得牙癢癢的。

按照秦王和王后的約定，進得南書房的都是貴客，除了兩人以賓主之禮相待，奉添茶水都是由王后親自動手。

王后也讀過他的〈說難〉、〈孤憤〉等書，內心對他敬佩得不得了，甚至爲〈說難〉中的彌子瑕故事，觸動懷抱而流過淚。能見到作者本人，當然非常高興，捨不得離開，於是她就留下陪著秦王政，聽韓非大發議論。

秦王政對韓非也是一見就有好感，只見他長得面目清奇，留著三綹清鬚，懸膽鼻，方口，長眉，一雙眼睛黑白分明，充滿著智慧的光輝，行止之間自有他的貴族氣度。

韓非雖不像一般辯者口若懸河，說話卻也是條理分明，層次清楚，不興奮激動的時候，口吃並不嚴重。不過由他兩眉間深長的皺紋，秦王政以老人所授的相人術告訴自己，這人很容易興奮激動，當然口吃的機會也就多了，和這種人辯論，最好的戰術就是說歪理刺激他，最好是對他作人身攻擊，很快他會氣得連一句話都說不清楚。

當然秦王政不會這樣，他請他到南書房來，就是要聽他有關建立法治制度的見解。

因此，他們先交談了一點天下大勢和各人的看法，秦王政從他那裏得到不少策略上的好構思，但只要韓非一提到韓國問題，秦王政就將話題轉到別的地方去。

於是，韓非心裡明白，秦王滅韓的意志是不可動搖了，他找他談話完全是爲了要和他研究秦國的法治推行。

他們談人性善惡問題，談建立法治制度，韓非的議論都深獲秦王政心，王后也在一旁聽得入迷。

「韓先生就留下來協助指導寡人吧。」秦王最後要求。

「臣有自知之明，著書立說尚能當行，處理政事、待人接物，就非臣之所長了。」韓非推辭說。

「先生這句話就不對了，」秦王笑著說：「著書立說目的也是爲了用世，否則留給蟲咬，豈不是白辛苦一場。」

「各人天生性格和稟賦不同，」韓非微笑著解釋：「有的辯才無礙，機智善變，適合奉使國外，不辱君命；有的雄才大略，目光遠大，適於爲人君籌劃策略；有的細心嚴謹，勤於治事，可爲主上牧民施政。」

「先生自認是哪種典型呢？」

「臣性急口吃，又多牢騷，只有關在家裏著書，舒解一下鬱悶了。」

「先生所言恐怕太過謙虛了！」秦王政搖搖頭說：「據寡人所知，先生也曾數度勸說韓王，怎麼會沒有一點用世之心？」

「眼看故國削弱，而主上盡用些諂媚阿諛的大臣，臣太過著急，不自量力作些無用之諫乃是有的，至於說參與政事，那就不是臣的本意了。」韓非仍然固辭。

「其實，」王后在一旁挿口說：「請韓先生留下爲秦建立或是修改一些秦國刑名制度，那不是兩全其美嗎？」

「商君爲秦訂下的法令制度已經夠完備了，」韓非說：「問題是在執行。」

「難道先生認爲秦國執法有什麼不妥之處嗎？還請指正。」秦王說。

「執法貴在平等，不能有法外之人，最好連人君也不能例外，」韓非看了秦王政一眼又說：「儒用文亂法，俠以武犯禁，權貴顯要不服法律限制，執法者多歪曲法令來將就個人，這都是法無法徹底執行的主要原因，所謂上行下效，因此罰應自上起，而不是所謂的刑不上大夫！」

「先生此言正合吾心！」秦王政擊案稱善：「今後寡人就要照此做了。」

「先生言『說難』，我們主上倒是很容易說服的。」王后在一旁湊趣。

秦王大笑，韓非亦不覺莞爾。

談著談著，不覺東方已白，又該是秦王上早朝的時候。

秦王吩咐近侍傳詔奉常，爲韓非準備常居之處，他想將韓非留下，收爲己用。

臨散前，秦王突然想起一件事問韓非說：

「姚賈這個人先生可曾聽說過？」

「姚賈此人是臣舊識，甚有才幹，」韓非是學者脾氣，有話直說：「他曾做過魏國大梁的門監，但常做些收賄買放之事，後來爲人告發，逃到趙國，由人介紹在趙王跟前爲臣，最後又因事被逐，大王爲何問到這人？」

「哦，沒什麼，只是順便問問罷了。」秦王臉上出現了不愉之色。

其實由於李斯的極力鼓吹，以及姚賈本人的辦事能力，秦王政已封姚賈千戶食邑，尊爲上卿。

而韓非這段無心的老實話，又由李斯派在秦王身邊的耳目傳到李斯和姚賈耳中。

2

在李斯府中密室裡。

李斯、姚賈和趙高正在燭光中談韓非的事。

「根據主上和韓非深談通宵，王后在一旁親自添茶水的情形看來，韓非已得到主上的歡心，」李斯緊皺著眉頭說：「韓非一受到重用，就沒有我輩安身的餘地了。」

「這是你自己引狼入室，怪得了誰？」趙高陰陽怪氣的尖聲說：「誰教你要在主上面前將他說得那樣好！」

「其實我並沒有什麼美言，只是順著主上的意思說了幾句罷了，想不到會將這個禍害帶進來。」李斯嘆口氣說。

「你們還好，我可慘了。眞想不到的是我，無端端的他要在主上面前說我的壞話！」姚賈哭喪著臉。

「先別爭論，現在我們三個共同想個辦法，看怎麼可以除掉這根眼中釘。」趙高陰沈的說。

三人暫時沈默，燭光在三人臉上晃動，暗亮不定。

姚賈生得五短身材，卻有個特大號腦袋，額頭寬廣表示他的聰明，眼大，耳大，鼻和口都大，在相人術來說，屬於早年得志的奇相，唯一的缺點是眼無定睛，和趙高一樣，說話想事，都在骨碌碌的轉個不停。

他們三人如今已結成一黨，是秦王政面前最紅的親信。

趙高不必說了，名雖仍爲中車府令，卻掌管著秦王的印璽和機要文書，秦王批閱奏簡文書，有時還會問問他的意見。

姚賈負責爲秦王獻策，舉凡軍國大事都會出題要他擬訂對策，乃是秦王政最信任的策士。

李斯官居廷尉，總管全國司法，自從司法改制後，全國廷尉以下一直到最低層的亭尉，都形成了一個上下、左右有指揮聯繫關係的體系，廷尉不但掌握中央官吏的生殺大權，也是全國最高司法首長，權限比以往大得太多。

最重要的，他還掌握著對國際之間的間諜組織，對客卿還負有監視任務，凡是客卿都對他畏懼三分。

他們三人聯手已將蒙武逼得心灰意冷，自動請求隨王翦出征韓國，擔任他的裨將。秦王政雖然有點捨不得他離開身邊，但念他是將門之後，自小學習兵事，要想大成，當然要先去軍中磨練和建功，也就勉為其難的准了。

目前他們排擠的對象是國尉尉繚，李斯蒐集到他以前在魏國任官的優良忠心事蹟，用來反證他對魏國太忠，來秦目的值得懷疑。

秦王對尉繚日益疏遠，早想去掉他的國尉職位，一時還找不到人來替代，好在秦王軍政大權都是一把抓，國尉只是承他的意旨辦理軍政方面的日常事務，尉繚暫時換不換沒多大關係。

三人想了很久，姚賈最先開口說：

「這件事有關我本身，主上不問起，我沒有機會辯白，希望兩位助我一臂之力。」

趙高轉動著眼睛，拍拍腦袋說：

「依我的看法，對付韓非還是可用對付尉繚的那一套辦法。」

「你是說蒐集他忠於韓國的證據，證明秦國不能用他？」李斯有點不解的問。

「正是，主上多疑，只要提出證據讓他自己去想，不要建議他該怎麼做，這樣反而最有效。」最了解秦王政脾氣當然莫如趙高。

「其實，」姚賈拍拍大頭說：「照你們這種反證法，主上最該相信的應當是我！」

「爲什麼？」趙高、李斯同時不解的問。

「因爲我不忠於魏，又見逐於趙，不只有死心塌地的對秦效忠了嗎？」姚賈轉動著眼睛，搖晃著頭，活像舞台上的小丑。

「這倒是眞的！」趙高笑著說。

「姚兄說笑了！」李斯心裏在想，怎麼天下會有如此無恥之人！

但他和他們是站在一條陣線上，要對付那些宗室和舊臣，他只有和他們聯手，實際上內心中，他厭惡趙高的醜陋猥瑣，也恐懼他的陰險毒辣。至於對姚賈，他懷疑秦王政在用人上面，頭腦是否出了問題。就算他不知道姚賈的過去，看這種長相也配食邑千戶，拜爲上卿？

不過回頭一想，他不覺啞然失笑，姚賈不是他極力推薦給秦王的嗎？不是在呈報他過去資料時，有意向秦王省略這兩段的嗎？

李斯在燭光下的臉也顯得神情不定，他長長的嘆了一口氣，他自己這樣做法不也是極其矛盾？雖然他李斯在秦王面前，還不至於像趙高那樣像條哈巴狗，或是像姚賈那樣裝小丑，可是在別人的眼中他像什麼呢？

稱得上是自己知己的蒙武，不也是因為他和這兩個人合流而疏遠他，甚至為了眼不見心不煩而主動請求率兵出征？

也許，唯一能用來安慰他自己的就是那句話——大海不嫌污流，所以形成其大。人至清就沒有徒眾，就像水太清不會有魚一樣。

「李大人在想什麼，想得如此出神？」趙高問。

趙高注視著他的那對鼠眼，在燭光下炯炯發亮，使他頭皮都發麻起來。

「哦，我在想，姚兄的話也許有道理，」李斯好久才回過神來說：「我們三人輪流在主上面前說韓非的好話，不斷說他如何如何忠於韓國，主上是舉一反三的聰明人，他會明察到韓非絕對不會忠於秦國！」

「我還知道主上是個極端果斷的人，自己不能用，絕不會讓別人用！」趙高嘿嘿的笑了。

「不，也許我們不應做得太絕，將韓非攆出秦國也就夠了，他到底是我的同窗。」李斯有點猶豫。

「打蛇不死反遭咬，斬草不除根，明年春又生……」姚賈在一旁笑嘻嘻的長吟。

3

三人有意無意的在秦王面前，輪流不斷說韓非的好話，這個策略不久就見到效果。

那天，秦王政在早朝以後，召李斯到便殿談話。兩人坐下以後，秦王政開門見山的問：「姚賈是卿推薦的，但國際間他的風評不太好。寡人最近還聽說，他任大粱門監時常收賄買放，逃到趙國爲臣，最後被逐，可有此事？」

李斯一聽到召見，對如何回答有關韓非的事，他早就有了腹案，秦王不問韓非，反而單刀直入的問姚賈，他有點措手不及，一時不知該如何答覆。

秦王政的眼睛微閉時長，睜開時卻大得驚人，尤其是注視人的時候，所射出的目光有如利刃，使人不寒而慄。秦王政現在就是用這種眼神在等著李斯答話。

「有人說，女無妍醜，入宮見妒；士無賢愚，謗隨譽至，」李斯乘著說這句諺語時，整理好了思緒，然後從容的回答說：「姚賈這兩件事的傳言不假，但內中細情據臣所知，都是爲了看不慣魏趙政治腐敗，所以棄官而逃。」

「爲什麼卿家提供寡人他的個人資料中，未談及此事？」秦王政毫不放鬆，語氣稍帶嚴厲的問。

「臣是怕陛下看了，會認爲臣對他美譽過當。」李斯恭敬的答覆。

「哦？爲什麼？」秦王政不解的又問，但臉色已見緩和。

「不滿時政，棄官而逃，不是顯得他太清高？陛下反而不敢用。」

「對啊！」秦王政擊案笑著說：「不過，姚賈在寡人面前的表現並不那樣耿介。」

「所謂良禽擇木而棲，良臣擇主而事，找到良主當然也會珍惜，就如同人君珍惜良臣一樣！」李斯順勢暗讚秦王一句。

「卿家說得不錯，」秦王政拍案哈哈大笑：「寡人險些爲韓非所誤！」

李斯沒插話，臉上也未露出任何驚詫。

「對了，」秦王政又問李斯說：「寡人要的韓非個人資料，卿家何以尚未提出？」

「臣正在爲難，韓非是臣昔日同窗，交情匪淺，若照實情說，陛下或許會認爲過於吹噓，但不照實情說，臣又良心不安。」李斯一臉猶豫。

「當然實話實說，」秦王政語氣中帶點責備：「卿家未聽說過『內舉不避親，外舉不拒仇』這句推薦人的古諺？」

「臣知罪了！」李斯心中暗笑，表面卻裝得誠惶誠恐。

「那就說吧！」秦王政微笑說：「好的壞的都照實說。」

「據臣所知，韓非對國至愛，對君也至忠。」李斯說到這裡，停住等秦王政問話。

果然秦王政「哦」了一聲，隨即問道：

「他忠君愛國有何事實證明？」

「據臣所知，他為了勸諫韓王建立法治，逐離佞臣，曾多次尾隨韓王，拉著他的袍角苦諫，有次將韓王袍角都扯裂了！還有幾次跪伏哭諫，叩頭至於流血！」

「啊，」秦王讚嘆的說：「寡人這裡沒有這種忠心苦諫的人！」

「那是大王不需要，疾風方能見勁草，」李斯又乘機奉承一句：「國亂才會顯忠臣。」

秦王政微笑不語。

「據臣派在他身邊服侍的人報告，在秦的這些日子，韓非每天早晚都會焚香禱告上天，祈願上天保佑韓國風調雨順，國泰民安，能在秦楚兩大之間利用相互制衡，和平的生存下去。他也不忘為韓王祈禱，求上天讓他早日覺醒，將國家治理富強，每次焚香禱告，他都是聲淚俱下！」

「唉！」秦王政長嘆一口氣：「韓先生眞是忠臣！」

傍晚，秦王政在南書房批閱文書，趙高隨侍在側。

秦王政停筆抬頭，突然問趙高說：

「韓先生這個人你認爲怎樣？」

「大王聖明，哪有奴婢插嘴的餘地。」趙高恭謹的回答。

秦王政簡單轉述了和李斯的談話，然後又問：

「趙高，你看事透徹，寡人一直很欣賞，不妨就這件事說說你的看法。」

「韓先生是韓國諸公子，對韓國的確是忠愛得令人感動，眞可惜他不是秦人！」

「嗯！」秦王沉吟不語，過了很久，他忽然說：「趙高，代寡人向李斯傳話，要李斯限制韓非的居處，並調查他近日在秦做過的活動。」

「陛下是要治韓非的罪？」趙高裝出一副震驚的樣子，並且帶著想求情的口吻。

「你不要多問，」秦王政用慣常的果斷口氣說：「就這樣轉告李廷尉！」

「是，奴婢遵命！」趙高內心欣喜若狂，表面卻裝出滿臉驚訝。

4

李斯帶著數名武裝隨從，由廷尉大牢典獄陪著，走在大牢的過道上，他是要去探視囚禁在特別室內的韓非。

這條過道通往地下，要經過重重鐵門，才能抵達一排十數間的特別囚室。這些囚室專爲犯罪——特別是謀叛罪——的親貴大臣所設，內部設備豪華舒適，享受應有盡有。雖有犯罪嫌疑，尙無確切證據的重臣會幽禁此處，爲的是讓主上有考慮和蒐證的餘裕時間，有很多也是爲了犯顏直諫，打入此地，等候主上回心轉意。

秦國有很多君侯將相，就曾三進三出這處地方。對能進來卻又能出去的人，這裡不是恥辱，而是平生的光榮紀錄。

李斯一面聽著過道中迴響的腳步聲，一面極力壓制心頭越來越沉重的愧疚。

「打蛇不死反遭咬，斬草不除根，明年春又生！」姚賈的長吟又在他耳邊響起。

「他是你的同窗，而且是你自己和恩師荀卿都欣賞的人！」有個李斯在他心裡說話。

「不要忘了龐涓和孫臏的故事。」另一個心中陌生的聲音對他說。他思索這個故事的全貌，卻發現聽的時間過得太久，已經記不得細節。他只模糊的想起一個大致輪廓——

龐涓和孫臏都是名兵學家鬼谷子的傑出弟子，和他與韓非的情形完全一樣。魏惠王愛才，要龐涓將孫臏介紹到魏國，但龐涓嫉妒他的才能，找藉口處以斷其兩足的刖刑和在臉上刻字的黥刑，用意是要孫臏永遠不能用世。

但是齊國聽到這個消息，暗中派使者將孫臏偷運到齊國，齊威王尊之爲軍師，最後統率齊軍在馬陵坡大破魏軍，龐涓也死在孫臏巧妙設伏的亂箭之下。

「你應該以這個故事爲鑒，同門相殘就會落得這種悲慘下場！」他心中的李斯說：「假若他們同心協力爲魏……」

「你是應該以此故事爲鑒，打蛇不死反遭咬！」那個陌生的聲音說。

「不錯，打蛇不死反遭咬，我要避免蹈龐涓的覆轍！」現實中的李斯咬咬嘴唇，下定決心。

5

囚室內，韓非盤膝而坐，一臉的煩躁，彷彿想定心卻定不下來。

他看到李斯來如獲至寶，趕快站起身來表示歡迎。

只見囚室分成兩間，裡間爲梳洗及更衣室，外間寬敞，雖然沒有窗戶，卻也几淨壁光，纖塵不染，燈光明亮，用具齊全。最好的是除了几案上的刀筆竹絹可供書寫外，書架上還堆滿了竹簡皮卷，數量雖然夠不上充棟，但絕對可以汗牛，一輛牛車拉不完。

兩人分賓主坐下後，隨來的典獄暫時充當侍僕，爲兩人奉上茶來。典獄在大牢別處作威作福，有如凶神惡煞，又像奴隸主，可是來到特別囚室，卻是必恭必敬，完全一副奴隸像。

因為歷任典獄都知道一個故事——

在特別囚室剛建立初期，有位秦國先王的寵臣跟他鬧脾氣，這位先王一氣之下將這寵臣打入此地。當時的典獄不知利害，照以往的方式折磨虐待，這位寵臣說：

「你怎麼知道我就不能翻身，不能出獄了呢？」

「到這裡來的都是失寵之臣，就如火已燃盡的死灰一樣，還有什麼翻身不翻身的！」典獄譏笑他說。

「你怎麼知道死灰不能復燃呢？」寵臣又警告他。

「再燃我就撒尿澆熄！」典獄得意的哈哈大笑。

所謂最後笑的人才是眞笑，這句話一點都不錯，不到三天，先王派人赦罪出獄，這位寵臣卻不肯走。要出去可以，先殺了典獄，用他的人頭送行，當然這位先王照辦了。

所以，歷任典獄都會交代後任這個「死灰復燃」的故事。他們對這些特別囚犯每天都是親自問安，即使這位大臣已判了斬首，明天就會執行。因為臨時傳詔法場，刀下留人的事並不是沒有。

尤其是目前這位典獄，他知道廷尉就是韓先生的老同窗。

「獄中執事對非兄還恭敬嗎?」李斯首先問候。

韓非看了典獄一眼,典獄背脊都發涼了,用哀求的眼光看看韓非。

「他們對我很好。」韓非回答的是實話。

「有小弟在,他們不敢虧待非兄。」李斯哈哈大笑。

典獄在一旁侍立陪笑。可是韓非笑不出來,他著急的問:

「昨日席上客,今天階下囚,這到底是怎麼回事?」

「也許是誤會吧!」李斯微笑著說:「有人向主上密告,非兄到此是為韓國作間諜,所以主上要非兄暫居此處等候調查。」

「堂堂韓國特使,乃是持有國書證明而來,會作間諜?秦王不怕鬧出國際糾紛?」韓非仍然說學者書呆子話。

「秦強韓弱,秦大軍已壓韓境,還談什麼糾紛?」李斯哂然而笑。

「我韓非……名,名滿……天下,貴為……貴為……公子,會……會……做間……諜嗎?」

韓非一急,口吃又出來了,滿臉脹得通紅,說不出話,只有拍打几案出氣。

「非兄息怒,非兄息怒。」李斯連忙安慰。

但見到韓非憤怒平息,臉色恢復平靜,他又刺激他一下:

「非兄日夜著書立說，不問政事，所以不知道間諜無孔不入，也不分貴賤。不瞞非兄說，秦國就有很多間諜是各國大臣，甚至是君主枕邊的寵姬。」

「這不要你告訴我，我懂！但誰都……都……可能……絕……絕不……不會……會是我！」韓非又說不出話來了。

李斯連忙笑語安撫。

「小弟一定會在大王面前辯解，相信我，當時是我拿你的著作給大王看，引起他的愛才之意，才請你到秦國來，誰知道出這種事，當然我要負責。」李斯裝出誠懇的說。

聽了他的話，韓非的情緒穩定下來，感激的看著李斯。這時他才想起應該要典獄坐，他到底是一獄之長。

李斯和他閑聊了一些別的事，突然轉向侍坐的典獄說：

「你們這裡是怎麼對待間諜的？現在沒事，也讓我聽點長長見聞。」

典獄聽到廷尉問他本行的事，不禁受寵若驚，誇大的描述獄中如何向間諜逼供。

「不錯，廷尉剛才說得對，間諜是不分老少、貴賤和男女的。」典獄諂笑著說。

接著他描述了很多眞人眞事，最後他說，有的人不肯招，用鞭抽不算，還用火烙，對少數硬漢火烙都不行，就用鉗子拔指甲。十指連心，拔指甲的痛，非身受者根本形容不出！有的只拔一根指甲就忍不了痛，全都招出；有的拔三根才招；有的拔五根六根才認栽；有的十隻指頭的指甲全拔得光光的，只剩血淋淋的十隻光禿禿的指頭，輕碰一下任何東西都奇痛徹心！

「不要說了！不……不要……要……要說了！」韓非口吃的大吼：「禽……禽……禽獸……不……不……不如！」

「不要說了，」李斯裝作驚惶的叱責典獄：「你先出去，我和韓先生私下有些話要談！」典獄行禮告辭，在走出囚室門的時候，聽到這位書呆子學者在喊：

「斯兄救我！」

他這次不口吃了。

6

在秦王宮南書房裡。

秦王政和王后剛用過晚餐，正是夫妻閑聊家常休息的時候。沒有多久，秦王又會開始工作到深夜，王后則是一面做著女紅或是看書陪伴，親手奉茶添水、按摩搥背，或是幫他傳內侍，完全學民間庶民的家居生活。

這是他們最甜蜜溫馨的片刻，而且不見得每天都能享受得到，所以他們最珍惜這段時間。

「好久你都忙得晚餐後這段休息都沒有了，」王后嘆了一口氣：「愛惜玉體，還是要抽時間多休息。」

「沒有辦法，接連召開御前會議，太多的作戰準備工作要做！」秦王政也嘆了口氣。

「別的君王多爲色情狂，你卻是標準的工作狂。」王后笑著說。

「有妳陪著，工作不嫌累。」秦王政深情的說。

「要是這樣的話，以後我提早就寢，免得讓你工作過度。」王后半眞半假的笑著說。

「那怎麼可以！」秦王認眞的大叫。

「看，還是那個邯鄲八歲的野小子，怎樣也長不大。」王后仍然笑著。

「眞希望長不大，還是當小孩子好，天掉下來有大人頂著。」秦王政長長嘆了一口氣。

「怎麼說這種沒出息的話！」王后啐他一口：「那將呂不韋留著，你不是當安樂王，什麼都可以不管了嗎？」

秦王沒答話，只看著王后苗條的身軀發呆。三十多歲的人了，裹在大袖細腰的粉紅色長袍裡，曲線仍然那樣美好誘人。

只不知脫掉衣服後怎麼樣？這是大婚後他一直想尋求的答案。

也許老人說得對，她是以儀態和談吐方面的上駟，對宮中其他女人這方面的下駟，脫掉衣服，身上也許有什麼不願他見到的缺憾。

每逢他想要而得不到的時候，他就用這番話來安慰自己。

「你又在發什麼呆？」王后見他不答話，發起嬌嗔來。

「應處理的要務都已處理完，我想休息一晚上，但想到無事可做，有點不知所措。」秦王說的不是他心中所想的。

「不說你，連我也是一樣，那我們該找點什麼來做呢？」王后沉吟着：「聲色犬馬，通宵飲讌，對你對我都太陌生了！偶爾玩一下，不會習慣，因此而上癮，那太可怕，還是不開始的好！」

「那妳想一下，還有別的消遣沒有？」他口中如此說，心裏卻在想——要是妳肯跟我做牀上遊戲，再長的長夜，也不過是春宵一刻。

「啊！有了！」王后拍手輕叫，嬌憨得還像邯鄲的小女孩：「我倒想起一個能夠打發時間、又能收益的消遣！」

「做牀上遊戲？能夠歡娛又能生兒子。」他終於憋不住內心的眞話。

「要做這件事去找別人！」王后臉色突變，蒙上一層嚴霜。

「玉姊，我說說罷了，」秦王政陪笑說：「快跟我說，妳有什麼好法子？」

「好久沒聽到韓先生說法了，今晚有閑，不如請他來聊聊也是好的。」

「哦，是這個好消遣？」秦王政失望的嘆了一口氣：「妳想聽說法，那就請請看吧。」

秦王政喚來近侍，要他立刻派人請韓非先生。

「你怎麼悶悶不樂？」王后有點歉意的說：「要是你不想聽韓先生說法，現在派人追回使者還來得及。」

其實，秦王政是看到王后的細腰豐臀，胸前兩隻乳鹿般的東西若隱若現，他的慾念正熾，只是不敢說出口。

7

「男人眞是閑不得！」他在心中如是想，口中卻回答道：「我是在爲齊國的事擔心。」

「本來我們約定，在南書房我們之間不說政事，因爲你在這裡的時候，手上、腦中，以及來的賓客莫不與政事有關。假若我再談，屋內就沒有一個清醒的人了。」

「妳冷眼旁觀，一定會認爲我們這些男人都是瘋子，整天談的都是打打殺殺，不是設計謀害，就是引人上當，對不對？」秦王政搖搖頭苦笑。

「今天例外，說出來，讓我爲你分分憂。」王后誠懇的說。

秦王抱著她就吻，她不願讓他過於難堪，只好讓他親吻。

秦王不再說話，只是單方面的盡情享受。

「回內寢去！」他小聲要求。

「不，你派使者去請韓先生，人快回來了。」她也小聲說。

她的臉逐漸在發燙。

「我當妳是玉石人，原來妳也有感覺，也會想。」秦王政用臉緊貼著她的臉磨擦。

「……」

近侍在門外稟報，使者已回，但未見到韓先生，他要當面稟告原因。

「放手，辦正事去！」她輕柔的解開他的雙手。

「傳進來！」他只得回坐到書案前。

「韓先生不在住處，據說已下到廷尉大牢。」使者行禮後跪稟。

「什麼？」秦王政無法發洩的情慾正好找到別的出口，他拍案叫著：「找趙高來！」

一會趙高到了，未等到他跪下行禮，秦王拿起書案上的茶杯摔了過去。趙高不敢閃躲，只能藉著跪倒的動作讓避，茶杯正好由他額邊擦過去，掉在地上跌得粉碎。

趙高的額邊也出現一道刮痕，血汩汩的流出來。
王后站在一旁不做聲，她明白嬴政需要發洩，她也極其厭惡趙高。
「你是怎麼傳寡人話的？」秦王政怒吼。
奇怪的是趙高沒有一點懼怕的樣子，他俯伏在地上輕言細語的稟奏：
「大王要奴婢轉命李斯的話，奴婢一字未改的轉命了。」
「那爲什麼韓先生進了廷尉大牢？」秦王火氣更旺。
「大王命將韓先生限制居處，按秦律，限制居處者，在咸陽有居所者，軟禁居所；在咸陽無居所者，一律下廷尉大牢。」
「寡人法令沒有你熟，找李斯來！」秦王自嘲解圍，看到趙高額頭流血，不禁又動了憐惜：「先去將頭上的傷包紮起來。」不自覺中，他的語氣緩和了很多。
「謝大王。」趙高行禮告退，臉色平和，就像未發生任何事情一樣。
等趙高出門，門在他身後關上後，王后搖搖頭嘆了一口氣：
「他們聯手對付韓先生，到底打的什麼主意？」
「女無妍醜，入宮見妒，朝中宮中男女都是一樣。」秦王嘆嘆氣說：「但人君也就是靠這種微妙關係才能統治，否則群臣同心，君王豈不是要退位了。唉，老爹說得對，做君王的就像走繩索賣藝的，一保持不了左右勢力的均衡，就會從高空掉下來跌得粉身碎骨。」

「看你眞是閑不得……」說了這句話，王后忽然緊張起來：「不要傳李斯來，趕快命侍中持節赦韓先生出獄，不管他被訴的是什麼罪名，否則夜長夢多，恐怕韓先生會遭到不測。」

8

「斯兄救我！」韓非向李斯長跪行禮說。

「非兄何必行此大禮？別人誣告，法律自有公斷，」李斯將他又按捺坐下去：「何況小弟身為廷尉！」

「秦法嚴峻，天下聞名，我韓非一身傲骨，怎麼能面對刀筆吏？」韓非傷感的說。

李斯偷笑著在心裡想，典獄剛才那番描述大概已嚇破了他的膽。所謂慷慨成仁易，從容就義難，何況要受盡折磨凌辱而死！除了少數英雄豪傑外，誰也會聞之膽寒。

「這樣吧，先讓我最後拚死對秦王作最後諫阻，假若不行的話，我棄官和你一起逃亡！」李斯慷慨激昂的說。

「那怎麼行！」韓非連忙勸阻：「斯兄在秦事業有如旭日東升，依目前形勢來看，秦統一天下指日可待。我要不是韓公子，對社稷有天生的責任，而像兄一樣已身在秦國，我也會爲秦王效勞，嬴政的確是萬世難遇的明主！」

「士爲知己者死，臣之官職算得了什麼！再不然我縱兄出獄！」李斯一聽韓非贊秦王是明主，又有留下之意，要是讓他和秦王政見面，那不是糟了，所以眞有放走他的意思。

「不，」韓非書呆子的脾氣又上來了：「我韓非未能達成君命，無顏回國面對父老，再說，連累了斯兄我也於心不安。」說著他在室內走動起來。

李斯注意的看著他，不知道這位食古不化的同窗在想些什麼。

突然，韓非踱到李斯几案前，正色的向他說：

「斯兄，我要你救我，並不是救我不死，而是求你幫我死得有尊嚴。我韓非寧死不辱，不過照目前室內的情形看來，我想求死都不可得。」

「非兄的意思，」李斯心中狂喜，但臉上不露一點痕跡：「非兄的意思……」

「找點酖酒給我，讓我一了百了，」韓非堅決的說：「人稱秦國虎狼之國，秦王個個凶殘成性，翻臉成仇，所以我袖中一直藏有酖藥以備不時之需，可惜被送到這裡時，全被他們搜走了。」

李斯一聽，這正是他想逼他走的路，而且鶴頂紅也爲他準備好了。但表面他仍裝得誠惶誠恐的說：

「這怎麼可以！這怎麼可以！事情還有挽回餘地。非兄稍安勿躁，我去找典獄交代幾句，就帶非兄去見秦王，拚死也要爲非兄解脫。」

他慌慌張張的站起，匆匆忙忙的走向門外，裝作不留意，袖口裡一小包鶴頂紅掉在囚室門內。

韓非卻注意到他掉下來的東西，撿起來一看，正是他想要的鶴頂紅，欣喜之下，也無餘暇去想事情爲什麼這樣巧了。

他將髮髻打散，又重新梳好捲起，將衣服整理了一下，然後用硃筆在一塊絹上留下幾個字給李斯——

「以君之位，用弟之學，死而無憾！」

他擲筆長嘆，然後向東方韓國的方向跪下，嘴裡喃喃說著：

「身體髮膚受之父母，不可損傷，更不可讓父母賜予的淸白身體受虎狼之吏凌辱。」

最後，他高呼一聲：「士可殺不可辱！」然後用茶水將一包鶴頂紅全送入口中。

等到李斯帶著典獄回來時，發覺他早已斷氣，身體都在逐漸僵硬。

看到韓非直瞪著的眼睛，以及他臉上不甘心的表情，李斯不免有點愧疚，興起惺惺相惜、兔死狐悲的哀傷，忍不住真的掉了幾滴眼淚。

看了寫在絹上的遺囑後，他默默向著屍體祝禱：

「非兄，安心的走吧！弟一定會將你的學說在秦國實行，日後推廣天下。」

他輕撫屍體的眼睛，說也奇怪，眞就這樣合上了。

正在此時，秦王持節來赦韓非的使者也已來到。

9

李斯隨同使者朝見秦王政，說明韓非畏罪自殺的經過，當然其中大部份是編造的謊言。他說：

「臣見到韓先生時，他的情緒非常不穩，經臣解勸以後，似乎他已鎭靜下來，誰知臣出去交代典獄別的事情，待臣率同典獄再回囚室，他已自殺身死。臣有虧職守，願陛下賜罪。」說完話後，他跪伏地上，叩頭如搗蒜。

秦王政聞韓非死訊，先是震怒和惋惜，但看過他的遺書後，不怒反笑。他微笑著對李斯說：

「你這位老同窗可謂是知你者，那你就稟承他的遺志，將秦國治理成標準的法治之邦。不過韓先生之死，總使人感到遺憾和悲傷。」

李斯叩頭謝恩，爲了彌補內心的愧疚，他又稟奏說：

「請賜韓先生厚葬，並派使者通知韓國。」

「不，只薄殮，不要厚葬，韓先生的遺體要送回韓國去！」秦王政搖搖頭說。

「臣不太明白……」李斯抬頭望著秦王政。

「以後是丞相和將軍的事，你廷尉的責任到此爲止！」秦王政神祕的笑了笑。

侍坐在一旁的王后卻猜透了秦王政的心事，忍不住感傷的掉了眼淚。

在李斯走後，秦王政驚訝的望著王后說：

「女人家眞是太容易傷感！」

「你們男人才是用心殘忍。」王后嘆口氣說。

「妳知道我要怎樣做？」秦王政笑著問。

「反賓爲主，栽贓嫁禍！」王后搖搖頭。

「難怪老爹說妳絕頂聰明，我看妳是生的比干七竅心，聞一知十，一點就透。」秦王臉上充滿震驚：「妳要是男人，會是我的大敵！」

「好在我是女人，而且是你的王后，」王后微笑著說：「還是你的玉姊，永遠都不會與你爲敵。」

「不錯，我是要反賓爲主，栽贓嫁禍，我要興兵責問韓國，爲什麼派個間諜使者來。」

「證據呢？」

「畏罪自殺就是證據！」

「我眞弄不懂你們男人，明明是李斯和趙高聯手害死了韓先生，你不追究，反而責問受害的韓國？」王后語氣中帶著不滿。

「說妳絕頂聰明，仍然擺脫不了女人感情用事的通病。我問你，是一個死的韓非對我重要，還是兩個活的李斯和趙高對我重要？」

「對秦國和天下後世的利益，一百個、一千個李斯和趙高都比不上一個韓非，李斯和趙高這種奸倖佞臣，朝中俯拾皆是，像韓非這種大思想家，千百年見不到一個！」王后顯得有些激動。

「人已死，爭無益。」秦王陪著笑臉想緩和王后的情緒：「再說韓先生雖死，他的思想卻已留了下來，我正要用李斯實現他的理想，不正是讓他借屍還魂嗎？」

「我說你才是絕頂的強辯飾非之才，將死人都說活了。」王后忍不住噗哧一聲笑了。

秦王政踱到南窗邊，推開了窗戶，他對王后說，也像是在自言自語：

「這是韓先生自己說的，天地以萬物為芻狗，強弱貧富全靠人自己努力，天和祖宗都是不管人間事的。妳還記得他說的一些話嗎？弱肉強食，乃是至高的自然法則，要想食人而不被食，就得使自己變強者。但強者分裂，內部力量衝突抵消，強者亦變弱；弱者團結，力量集中，弱者亦變強。這是以六國人才之多，物產之盛，財力之富，卻敵不過一個處於貧瘠偏地的秦國的最好說明。而力量集中，則需要有一個集中權力的君王，控制一個公平法治的政府，賢能在位，罷奸去惡，個人要為國家犧牲，這一代要為萬世後代子孫犧牲。」

說到這裡，秦王政突然轉身向王后說：

「王后，不要難過，韓先生就像絲吐盡而死的蠶一樣，人利用絲，不必悲傷蠶蛹之死。我們將韓先生的理想用在秦國及天下的利益上，韓先生的生死，就不再是件重要的事。我利用他的遺體謀求秦國和天下的利益，也是理所當然的。」

王后搖頭不以為然，卻一時想不出駁他的理由。

第二天，秦王政下令薄棺薄殮，並派使者將韓非送回韓都新鄭。他指責韓王不友善，竟派韓非來秦做間諜，後經調查，韓非畏罪自殺就是最有力的證明。

韓王安在秦軍駐在境內的壓力下，只有請降，自願為臣。秦王政兵不血刃，就將韓變成了屬國，名正言順的在韓國屯軍屯糧，以作攻楚的準備。

第15章

滅韓擊趙

1

就在蒙武偕美暢遊渭水上，秦王政陶醉在勝利的微醺中時，平陽前方傳來戰敗的消息。

趙名將李牧以八萬精兵在平陽附近的宜安大破秦軍。他採取大膽的前進包圍戰術，以三萬人利用地形列陣，吸引十萬秦軍攻擊，另以兩萬步兵在側翼攻擊秦軍，再以三萬騎兵以雷霆萬鈞之勢，攻擊並席捲秦軍後背，形成三面包圍，只留下南方缺口。

秦軍戰無不勝，攻無不克，歷來作戰都是採取速戰速決的閃電戰術，以局部絕對優勢一舉殲滅當前之敵，造成戰場震撼，促使敵人喪失戰志。絕大部份敵人不是投降，就是潰退，所以秦軍已養成輕敵的習慣，對側翼之後方警戒不太注意，因爲很少有敵人像李牧這樣，敢以三萬輕裝騎兵深入秦軍後方。

這樣一來，乃是李牧造成了戰場震撼。十萬秦軍主力部隊尚未攻下趙軍壁壘，後方戰敗的消息已經傳來，銳氣一失，兵敗如山倒，壁壘中趙軍乘勝出擊。秦軍只覺得四面八方都是敵人，眞個是風聲鶴唳，草木皆兵。往西撤退的秦軍遭到汾水阻擋，只有沿著汾水向南撤退，一直到曲沃才算穩住陣腳，廿萬大軍只剩下了八萬人。

李牧爲了怕遭到上黨方面王翦部隊的夾擊，在追擊一段時間獲致最大戰果後，回守平陽、宜安之線。

秦王政首次嘗到戰敗的滋味，這時才明白，他父親莊襄王爲什麼會在蒙驁兵敗後突然患病，不久就身亡。

這些日子裡，秦王政根本無法睡覺，他以國尉、廷尉爲首的有關大臣在議事殿組成戰情處，十二個時辰輪值，處理戰事情況，有重大情況變化，隨時通知他。

戰敗消息傳來後，軍中使者一天接連來好多次。

先是要求王翦部隊增援。

再是要求補充兵員。

接著是潰退的消息。

最後來的消息是桓齮未奉命令撤退，殘兵敗將已到了曲沃。

秦王政除了大部份時間留在戰情處外，其餘時間都是在南書房由王后陪著。她堅持在書房內設了張臥榻，在他實在疲倦時逼他上去躺一會，但他仍然是在書房內踱來踱去的時間居多。

他如今正在考慮的問題只有一個：立即反攻，還是休息整頓一段時間？前次的勝敗已定，用不著再去想它。

立即反攻的分析是──

「利」是可以雪恥復仇，恢復士氣，維持秦軍永不會戰敗的威名。

「害」則桓齮殘軍士氣低落，已缺乏克敵信心，不經整頓無法再戰；若由王翦部隊發起反攻，他部下只有十萬人，要擔任維持新稱臣韓地的地方秩序，又要維護秦軍的後方補給線。再說南方楚國虎視眈眈，也不能不作防備；而由國內派新部隊反攻，百里爭利，則三將軍見擒，何況咸陽到平陽路途接近千里！再要戰敗，各國乘機圍攻，後果可怕！

休息整頓再作攻擊的分析是──

「利」是一切重新開始，集結了足夠兵力，因一時挫敗而喪失的信心已恢復，報仇雪恨的意志又起，可以一戰。

「害」是時間拖得越久，秦軍士氣也可能越消沉，李牧的英名越傳越遠；也可能因李牧打破了秦軍無敵的神話，造成各國輕視秦國，再以趙國爲合縱約長，圍攻秦國！

想到最後一點，秦王政不禁背脊流出冷汗，兩者的結論都有秦遭各國圍攻的可能！

他也曾將這個議題交由御前會議討論，雖然是群臣發言盈庭，但正反意見各半，仍然要由他來裁決。

他現在才發現到統治者的孤獨和寂寞，平日這多的人圍著你，但等眞正要衡量利害，下決心選擇時，任何人都幫不了你的忙，你必須單獨面對選擇的後果。他是一場豪賭的賭徒，押大押小，開出來的結果會關係千萬人的生命，甚至是秦國的存亡。

除了極少的睡眠時間以及和群臣議事外，他都在書房內轉來轉去，就像一頭剛關進獸籠的猛虎，不停的轉著找出口。

這些日子，他很明顯的消瘦下來，眼圈發黑，年輕、寬廣、飽滿的額頭上也出現了細細的皺紋。

王后看了好心痛，但在軍國大事上，她插不了嘴，也不願插嘴。

最後在一個凌晨，王后實在看不過去了，忍不住提醒他：

「爲什麼不去問問老爹？」

2

秦王政跪坐在中隱老人對面，很後悔在這天猶未破曉的時候，將老人硬從床上吵起來。

老人更老了，由於辟穀，身體顯得更瘦，唯一使秦王政放心的是——他雖然剛從床上被拉起來，眼睛開闔之間，仍然是精光閃閃，這表示他的龍馬精神，雖瘦卻不弱。

「老爹多日不見，看上去更瘦了，應該多加營養，不要辟穀傷了身子。」秦王政關切的說。

「你也瘦得可怕，」老人細細打量著他，憐惜的說：「有什麼重大事故發生？連眼睛都凹下去了！」

「平陽前線大敗，桓齮退居曲沃，二十萬大軍只剩八萬不到，還包括了傷殘！」秦王政激動的說。

「對方領軍大將是誰？」老人閉上眼睛問。

「李牧！」

「李牧？」老人身體明顯的顫動了一下。

「老爹先前要我注意李牧，現在李牧眞出現了，以八萬劣勢兵力擊潰我廿萬常勝軍，嚴格說來，我軍還是處在以逸待勞的狀態。」

「那你現在又有何爲難之處呢？」老人仍然閉著眼睛平靜的問。

秦王政說出連日都不能解決的疑難。

「你這樣年富力強，再加上老爹我的傾囊相受，應該會自己解決問題。李牧曾在我門下受教，用兵天才和戰場經驗，在秦軍中的確還找不到他的對手，」說到這裡，老人沉吟很大一會，突然張大眼睛，以要秦王小時背書的口吻輕喝說：「還記得《孫武兵法》的〈九變〉篇〈將危〉章嗎？背給我聽聽。」

「故將有五危：必死，可殺也；必生，可虜也；忿速，可侮也；廉潔，可辱也；愛民，可煩也。凡此五者，將之過也，用兵之災也……」

「夠了，」老人說：「你看李牧犯了這五危中的哪幾危？」

秦王政考慮了半晌才回答說：

「據所得資料，李牧守邊破胡，入侵燕國，不但絲毫不取，而且趙王有所賞賜，全轉分部下及作爲撫恤士卒遺孤之用，可說是家無恆產，身無餘財。」

「這是什麼將危？」老人問。

「犯了廉潔之危，可辱。」秦王政高興的回答。

「他還犯了什麼危嗎？」

「據資料顯示，歷次作戰，李牧部隊不但秋毫無犯，而且處處以保民爲重，這也許是他牧邊所養成的習慣，愛民可煩，我明白了！」秦王政興奮得跳起來。

「到目前爲止，秦軍將領尚無李牧對手，和他正面硬拼，只有使他的英名越來越盛，最後可能造成你所害怕的後果，你知道該怎麼辦嗎？」老人啓發式的問。

「躲開他！」

「你不想反攻了？」

「躲不過，設法調開他！」秦王政以拳擊掌。

「你已經知道該怎麼做了，就去做吧。」老人臉上有了微笑。

「多謝老爹點破。」秦王叩首想告退。

「慢著，」往常是老人攆他走，今天他想走，老人卻又留住他：「秦國最大危機還不是遭遇到李牧，而是本身缺乏將才。」

「老爹說得不錯，嬴政也常爲這點感到焦慮。」

「自秦國殺白起以後，爲將者人人自危，明哲保身的多不願爲將，你聽過咸陽軍中有一首歌謠嗎？」老人轉向問秦王政。

「不知是什麼歌謠？」秦王政驚問。

「『立功不封侯，戰敗有餘殃，試看爲將者，少見死疆場。』你能解釋其中的意思嗎？」

「……」

「這是說秦歷來對爲將者太苛，」老人嘆口氣說：「水罐不離井邊破，將軍常在陣前亡，『少見死疆場』，暗示多死在刑場上！」

「老爹，嬴政知道以後該怎麼做了。」秦王政惶恐的說。

「這是秦國缺乏優秀將領的原因之一。另一個原因是缺乏對將才的培養，用得順手就一直用，用到不能用爲止，如白起，如蒙驁，如現在的桓齮莫不如此。不知將之相剋如五行，金可以剋木，遇火則銷，火可以剋金，遇水即滅，人都有性格上的弱點，也有用兵上的習慣。桓齮善於快攻而疏於防守，遇上扈輒可以斬首十萬，但碰著敢於深入的李牧就要損兵折將了。」老人微笑著說。

「嬴政懂了，秦不但平時就要發掘和培養將才，而且要多培養一些，才能因時、因地和因人而運用。」秦王政豁然貫通的說。

「聞一知三，孺子可教也，去吧，你會有辦法對付李牧的！」老人掀鬚而笑。

3

秦王政召集丞相王綰、國尉尉繚、廷尉李斯在議事殿召開祕密會議，議決重要事項——

限國尉在一月內召集十萬軍隊，由秦王政親自率領，御駕親征，目的是激勵士氣。

命桓齮就地防守整補，必要時可徵韓地人從事軍中雜役。

由李斯發動一批趙國秦間大臣在趙王前造謠，密奏李牧在這次勝利中將虜獲品收歸私有。但又有部份事實是他佔領平陽地區後，仍按照守邊舊習慣，自行設卡收稅，稅收不繳國庫，破壞稅收體制。

另發動邯鄲及平陽地區百姓請願，言李牧功大，應予行封，以及另一批朝中秦間大臣在內相和。

散會前，秦王政笑著對三位大臣說：

「說好說壞，趙王遷又愚蠢無知，李牧這根眼中釘應該會很快拔去。」

在會後坐車回南書房時，他考慮到是否要找蒙武回來，這次出征，蒙武可以幫他不少忙，有他在，他會安心不少。但想到他新婚不久，再加上武將夫妻本就是聚少離多，在一起的時間，一輩子算起來都不多，何況今後統一戰爭即將開始，蒙武夫妻能相聚的日子很難預料。

「算了，讓他度完假再來吧，」他想：「應該聽老爹的話，今後對將領要寬厚些。遊說之士靠一張利口，就能立取功名富貴，為將者卻是冒了多少矢石，一刀一槍拼出來的。遇到戰爭，勝則這些大臣自居有功，敗則群起指摘，錯仍在這些武將身上。今後我要將這種不公平現象顛倒過來！」

誰知他剛回到南書房，卻見蒙武夫婦正坐在裡面和王后談話。聽到近侍宣呼：

「大王駕到！」

他們連忙隨同王后在門前迎接。王后只行家常禮，他們夫婦卻跪在地上。

「起來，起來，」秦王連忙伸手扶起蒙武：「說過到南書房就是寡人和王后的貴賓，以後不用行此大禮。」

「臣怎麼敢僭越失禮。」蒙武說著，夫婦起立，分別就座。

「渭水之遊還愉快嗎？」秦王政見到蒙武回來如獲至寶，但不表露出來。

「臣得到平陽戰敗消息就急著趕回來，如今情況如何，大王有何打算？」

秦王政大致將眼前情況和對付李牧的策略說了，然後體貼的說道：

「武將夫妻聚少離多，你還是先將婚假休完再說，假滿不必前往王翦部隊報到，而是來寡人軍中，寡人倚仗你的地方很多。」

這段話說得齊虹也不禁動容，蒙武更是由衷感激，避席頓首，兩眼含淚的說：

「大王好意，臣不勝感懷，只是強敵當前，大王都要親冒矢石，臣哪還有心情休假！」

秦王政看了看齊虹，笑著說：

「婚後燕爾佳期，不是你一個人作得了主的，再說寡人親口說出給假三月，這樣一來，豈不是要寡人出爾反爾？」

「戰況緊急……」

「不要說了，」秦王政笑著制止：「按秦律，更卒換卒，不論是否有戰事，到時就需更替，何況寡人自己說的假期。」

齊虹此時也避席跪奏：

「臣妾不像一般女子，大王有事，臣妾同樣可以分憂。」

「寡人不是已准妳脫離間籍了嗎？」秦王驚問。

「這次是臣妾自願效勞，趙國爲臣妾故居，人際關係甚多甚好，李牧的事進行起來更爲順利。」

「不，不要逼寡人做個出爾反爾背信的人，兩位請起回座！」秦王政堅決的說：「你假期還有一個多月，假滿後趕往寡人軍中，假若到時戰爭已告結束，你就去王翦軍中報到。」

夫妻兩人還想爭辯，王后此時在一旁說了話：

「依法行事，有時會不合情理，但對大家都公平些，何況大王要維持他的威信。你們不必再爭了。」

兩人不敢再說，回復就座。

接着秦王政又談到前幾天和中隱老人的談話，他注視着蒙武說：

「卿家心中有哪些將才可以培養？」

蒙武思考良久，然後啓奏說：

「王翦，楊端和，大王知之甚詳，用不着臣再說了，均可獨當一面。而王翦麾下兩都尉韓騰和羌瘣，能得士卒死心，歷經戰場，表現特異，王翦曾向臣提起，希望臣能在大王前代奏。」

「這就不對了，有好將才，爲何王翦不介紹給寡人？」

「王翦也許是避嫌，」蒙武猶豫了一會才說：「其實王將軍公子王賁，才是眞正的用兵奇才。」

「唉，秦國對將才的確過苛，才造成人人避嫌！」秦王政長長嘆了一口氣：「今後自寡人起必改，國君與將之間必須推心置腹。」

「這是諸將的福氣，也是秦國和天下的福氣！」蒙武感動的說。

「還有呢？發掘培養，越多越好，只是未來考驗要嚴。」

「桓齮軍中有一年輕騎卒下尉李信，曾率數百騎攻擊敵後，如入無人之境，擾亂敵人耳目，使其不敢大膽追擊，這次掩護撤退，他的功勞太大！」

「爲什麼有這種猛將，桓齮都不報功？」秦王有點憤怒。

「勝者全是，敗者全非，桓將軍待罪還來不及，還敢報功？」蒙武笑着解圍。

「不！」秦王政站起來在室中走動，走到蒙武夫婦席案前，轉頭對王后說：「王后記住提醒寡人，寡人要下令國尉立法，勝敗乃兵家常事，勝亦有犯錯該罰者，敗亦有立功應賞者，今後每次戰後完畢即行檢討，不論勝敗，該賞者賞，該罰者罰！」

「臣妾記住了。」王后隨即用秦王長案硃筆，記在絹上。

「還有呢？」秦王回座又微笑的問。

「待臣日後發覺，當再啓奏，大王這次親征，當會發現不少將才。」蒙武說。

「卿言有未盡，還有點藏私呢！」秦王政表情詭異。

蒙武連忙避席頓首，惶恐的說：

「大王恕罪，臣怎麼敢？」

「蒙將軍何罪之有？但你藏私卻一點都不錯！回座回座，」秦王政哈哈大笑：「你還有兩位虎子，蒙恬和蒙毅！」

「犬子年紀都太小。」蒙武不敢說避嫌，以免秦王政反感。

「幾歲了？」

「蒙恬十九，蒙毅十七。」蒙武遵命回座。

「李信幾歲？」

「十八歲。」

「蒙恬比他大一歲，還不肯出來幫寡人做事？蒙將軍可聽說『內舉不避親』這句話？這樣好了，蒙恬這次跟着我出征，蒙毅跟着廷尉李斯進修刑名之學，順帶在廷尉任職，卿家可有意見？」

蒙武夫婦雙雙謝恩。

「李信對付李牧，恐怕來不及了，但十多年統一天下的將是這班小將！」

秦王仰天哈哈大笑，蒙武夫婦陪笑。

王后亦不禁莞爾。

4

秦王政及王后回到寢宮。

他們今晚選擇住宿的地點是「趙室」。

季節雖已進入仲春，但寒冷依舊，由西北沙漠來的寒流尚無要走的跡象。

侍女早已在獸爐焚香，壁爐中的火堆也燃得正旺，室內是溫暖而又芬芳。

秦王政在晚餐時喝了點酒，再加焚香的香味一刺激，情慾像火一樣燃燒起來。

當王后道晚安要走往隔壁寢處時，秦王抱住了她，在她耳邊輕吻着說：

「玉姊，今晚留下來陪我？」

王后任憑他親吻，只是不斷的搖頭。

「再過幾天我就要出征了，今生是否能再相見，很難預料，我希望妳能爲我生個兒子繼承王位。」

「不許說這種不吉利的話！」王后蒙住他的嘴：「你眼前就有了二十多個兒子，還嫌不夠嗎？」

「二十幾個兒子都不是我希望他們來的，我誠心企求的是妳生的兒子，只有他才能繼承我的基業，萬世永傳的大業。」他懇切的說。

「不要，即使是我幫你生兒子，我也不想他當秦王或是天下君主。」她仍然輕搖着頭，緩緩的說。

「爲什麼？」秦王政不能不驚詫：「每次夫人姬妾侍寢，嘮嘮叨叨，甚至是哭哭啼啼，全都是爲了想我立他們生的兒子爲太子，獨獨妳不想？」

「當國君爲王有什麼好？擔心受怕，寢食不安，就像你自己一樣，自登上王位後，你可活過一天眞正愉快的好日子？」王后嘆口氣說：「我年紀大了，要生也最多幫你生一個，缺乏同母兄弟的互相照顧，容易遭到其他同母兄弟多的傾軋排擠。」

「要生就接連着生，多生幾個，」秦王政笑着說：「就是只有一個，他也是名正言順的太子，繼位以後，誰敢欺侮他？」

「唉，你是小雞還沒有養，就在打聽蛋的行情。我還沒答應幫你生兒子，就是答應了，也不知道生不生得出！假若生的是公主呢？怎麼辦，像鄉間愚夫愚婦一樣，丟在糞坑裏淹死？」王后打趣說。

「妳眞會說笑，我生的女兒也有十幾個了，淹死一個沒有？她們是公主，金枝玉葉，跪在地上想求的人不知有多少，尤其是我嬴政的女兒！」他說的話並不錯。

「說眞的，」王后正色的說：「這次出征，你不立太子監國？」

「立太子？」他笑着說：「妳不是要我不說不吉利的話嗎？怎麼妳現在自己說起來了？」

「不要開玩笑，」王后臉色凝重的說：「這是談正事，也是我份內該管的事！」

「立太子？」他口裏說話，手上並沒停，依然在她胸前雙峯間遊走，三十多歲的女人，那裏仍然富有彈性，肌膚滑膩有如凝脂：「我在等妳生太子！」

「現在是談正經事，」她打掉他的手，從他懷裏掙扎出來：「你總得在後方立一個監國的人。」

「監國？長子扶蘇才幾歲，他能監國？」秦王政遭到拒絕，有點老羞成怒，只有藉狂笑來轉移心中的怒氣：「要他監國，他生母蘇夫人就會攝政，要置妳於何地？」

「不要想到我，我對政事一點興趣都沒有。」

「好，說正經的，」秦王政經這番折騰，慾念也消失了大半：「在妳生子未絕望以前，我不會立太子。這次我攻趙，目的只是提高我軍士氣，少則三個月，多則半年，根本不需要什麼監國。爲了讓妳安心起見，我明天要在朝中宣佈，在這段期間由妳監國，假若我有什麼不測，妳可以就諸公子內的賢者選立。」

「臣妾遵命！」王后端莊肅穆的跪下，正式行了承命大禮。

秦王政從地上將她拉起來，抱着向臥榻走，他親吻着她，卻發現她臉上滾滿熱淚。

「我怕，我怕，」她緊擁着他的頸子：「爲什麼人間要有戰爭？爲什麼你是國君？爲什麼你不像別的君王，前方打戰，他們仍然能安心的在宮中享受？」

「不要怕，在天下未統一以前，我是不會死的！」他捨不得將她放在牀上，就抱着她在室內漫步，看來修長豐滿的她，抱在手上卻是輕軟柔弱，彷彿沒有重量一樣。他一邊輕吻着她，一邊安慰說：「生爲國君雖然不算福氣最好，但比起一般人來，妳應該滿足，秦國青壯半數都在戰場上，在新敗之餘，說什麼我也該去走一趟。至於爲什麼我不像其他的君王躲在後宮享受？因爲我是嬴政，要爲天下謀求永久太平、要爲我們兒子建立萬世基業的嬴政！」

他最後還是走累了，男人抱女人都是這樣，才開始覺得輕柔有若無物，但越到後來會越感沉重。

他將她放在臥牀上，開始爲她脫衣服。

「來人！」王后輕呼着。

「今天讓我親自動手，」他吻着她的酥胸說：「往日的都是預先剝好的花生米，今天我要吃帶殼的花生，自己動手剝殼，風味應該不一樣！」

「我不是這個意思……」

侍女應聲進來，跪伏在地等候差遣。

「將室內所有燈燭熄掉！」王后下令。

「是！」

侍女熄燈退出，室內漆黑，伸手不見五指。

「我不習慣沒有光亮。」秦王有點失望的說。

「你不是喜歡與眾不同嗎？我也是如此！」王后輕笑。想不到常日不苟言笑的王后，這個時候的笑聲竟是如此甜膩誘人。

他終於得到幾年來的渴望，在黑暗中的感覺，王后的確和他所有經過的女人都不一樣，沒有視覺的分散注意力，觸覺更爲敏銳甜美。他們誰也不提要等天下統一的約定。

5

秦王政十四年四月。

秦王政親率十萬大軍分水陸兩路前往曲沃增援。

他以楊端和爲裨將，負責實際執行。王賁、蒙恬爲帳中左右校尉，入則隨侍，出則參乘。他要親自考驗這兩個年輕人，假若他們合格的話，他要刻意培植他們，讓他們成爲他未來征服天下的主要本錢。

中隱老人誇獎李牧的話，他多少有點不服氣。秦軍將領中也許沒有他的對手，但他嬴政一定會是他的剋星。在行前，他要李斯提供李牧所有的資料，一個人在南書房研究了整整三個晚上，對他的戰法和習性自認找到剋制的方法。

因此，以前他希望能避開李牧，如今卻渴想李牧留在平陽，他可以和他一決高下。

但令他失望的是，在他行軍半途就得到消息，李牧封爲武安君，調回朝中任右丞相。

他知道這是李斯兩面用間所得到的效果。封賞是因爲朝中一批秦間和民間配合請願，獎勵李牧的奇勳大功。趙秦歷年交戰，除了幾十年前馬服君趙奢曾大破秦軍以外，趙國是連戰連敗，最後的結局都是賠款、割地議和。這次李牧以八萬劣勢兵力擊敗廿萬強秦常勝軍，聚殲十二萬有餘，眞是驚天地泣鬼神的大事，不但整個趙國鼓舞歡騰，全天下都爲之震驚興奮。

李牧爲趙國帶來信心和希望，也爲諸侯各國建立了聯合抗秦的願望。

趙王調他爲右丞相，則很明顯的是受了另一批朝中秦間大臣的挑撥，懷疑他另有野心，自行設立關卡市租，收稅不繳國庫——也就是王庫，所以讓他做個沒有實權的伴食丞相。

十萬人馬留置兩萬在安邑，設立後軍部隊，其餘八萬由秦王政親自率領進入曲沃城。

桓齮率領部將在東門城外十里處相迎，衆將領下馬按序上前以軍禮參見，只有桓齮不顧盔甲沉重，跪倒俯伏在地，口中喊着：

「罪臣桓齮迎接大王，望大王治罪！」

秦王政微笑着扶他起來，安慰他說：

「將軍已經盡力，何罪之有。」

秦王政爲了表示與士卒共甘苦，一路行軍都只騎馬而不乘車，到達眾將相迎的十里長亭，時間已近黃昏，頭上、臉上都飄滿黃沙，黑色王袍也變成一片黃。

「大王辛苦了，」桓齮說：「城內已準備酒宴爲大王洗塵，士卒的茶水和駐地也都準備好了。」

部隊由先遣人員各自帶至駐地休息，設置篷帳，埋鍋做飯。秦王政由王賁、蒙恬帶領三千虎賁軍隨行。

經過連日的行軍旅途勞頓，虎賁軍已是甲不鮮，盔不明，看上去和一般部隊沒有什麼分別。

秦王政跨上已成黃色的白汗血寶馬，在桓齮的陪同下進了曲沃城。

沿途排滿了歡迎的部隊和俯伏在地迎接的百姓。

「萬歲！大王萬歲！」軍民都大聲喊叫。

「大王來到，戰無不勝！」也有人這樣喊。

「敗軍之將，還有臉跟在大王後面耀武揚威！」在眾多歡呼聲，隱約聽到有人這樣大喊。

「大王這次來，好戲會跟着上場，明天城門上會掛滿示眾人頭！」在歡呼聲的間歇中，秦王政彷彿聽到有人小聲私語。

秦王政騎在馬上緩緩行走，卻不斷在觀察歡迎軍民行列中的各種神情。

他看得出百姓神情痳木，有的還是滿臉憤恨。這不能怪他們，這裏是魏國的土地，秦趙卻用來當戰場，異國軍隊還要強迫他們跪俯在地迎接別國的君主。

但看到秦軍每個人臉上的神色時，他不禁暗暗心驚。他來的目的是要激勵士氣，讓軍隊恢復信心。現在從上到下，從桓齮到兵卒的臉上，看到的卻只是誠惶誠恐、彷彿大禍就要臨頭的表情，尤其是他目光所掃到處，所有人都低頭或是將視線避開，沒有一點像從內心歡迎他的樣子。

他還注意到一點，歡迎行列中沒有傷殘士卒，假若他們喜歡他，這些人雖然未奉命前來，也會主動出現。

傷殘者在他新頒的兵制中是最受重視的一群，稱爲榮士或榮卒，輕傷的可進爵一級，由政府輔導就業，重殘進爵兩級，由公家奉養終身，有家人奉養者，撥奉養田。難道他們也不歡迎他？桓齮部隊士氣眞低落到這種程度？

他臨時做了一個決定。

進到將軍府，稍事梳洗，秦王政參加了桓齮的洗塵晚宴，說是晚宴，也只不過粗菜幾道，薄酒幾杯。桓齮自奉甚儉，也知道秦王政不喜將領奢侈的脾氣，因爲他自己本身除了睡眠就是工作，和王后聊聊天就是他最豪華的享受。

晚宴空氣沉悶，秦王政心中在想事，他不開口說話，桓齮和衆將領當然也不敢先發言，因此衆人心內更加惶恐，不知道秦王政會做出些什麼決定來。

秦王政處份成蟜事件的嚴厲，衆所周知。

何況，秦軍敗得如此之慘，在他即位後還是第一次。

晚宴畢，桓齮恭請秦王政休息，以便明日升帳議事，秦王如今是親兼領軍統帥，應以軍規行事。

「不，寡人不累，精神還好得很，想和將軍單獨談談。」

6

密室中，燭光下，秦王政看到桓齮高大卻明顯佝僂的身軀，以及他斑白的兩鬢和滿頭星星發亮的白髮，不禁動了憐惜之意。

這位老將十六歲從軍，跟着白起南征北討，身經百戰，從沒有戰敗或不能完成任務的紀錄，臨老一戰卻將他一世英名全敗盡了！

這是桓齮的錯，還是他自己的錯？是否正如老爹所說的，秦國用將，一直要用到不堪再用或是犯錯受罰才肯放手？秦將沒有好下場，乃是天下聞名的。

不，他決定，他要讓桓齮全譽而歸！

他來的本意是要和李牧一比高下，現在李牧調走，他已失去較量對手。新接任的趙將郭信是趙王寵臣郭開的兄弟，爲人和他哥哥一樣貪財好色，很容易擊敗。

何不讓桓齮挽回他的聲譽，成全他的一世英名，恢復全軍士氣？

於是他先問桓齮說：

「上次戰事結束，可曾做過檢討？」

「檢討早已做完，該處罰的已列册，本來臣早應執行，因知陛下要來，不敢擅專，留下等候陛下發落。」說着他呈上預先由軍正（軍中執法官）擬好的應受罰的名册。

秦王政翻到第一卷，上列的第一名就是桓齮本人，罪名是：「判敵錯誤，喪師辱國。」處置是：「擬請主上定罪。」

接下去是一連串的犯錯處罰名册，列舉所犯罪名和處置。總計應處斬的一百二十八人，削爵爲普通兵卒的五百一十三人，其他輕刑如打軍棍、挨鞭笞的一千多人。

「輕刑犯臣已按權責交各級處置完畢，只剩斬首及削爵重罪，等候主上發落！」

「還有應賞者名册呢？」秦王政注視着桓齮問。

「敗軍之師，何能言賞！」桓齮惶恐的回答。

「不，將軍錯了，」秦王政搖頭說：「勝軍亦有犯罪該殺者，敗師同樣有立功該賞者，譬如李信，以數百騎阻敵數萬追擊部隊，你不賞賜，何以服軍心？」

「臣知罪了，」桓齮神色悚然：「臣會立即下令重新檢討。」

「這樣才對。」秦王政點點頭。

過了一會桓齮猶豫支吾，像是有話說不出口。秦王笑着對他說：

「將軍有什麼話儘管直言。」

「臣爲待罪之身，不便再領軍，敢問何時正式交出統帥權？」桓齮低頭伏臉，神情非常慚愧。

「寡人這次來有兩個目的，」秦王政以安慰的口氣笑着說：「第一，慰勞士卒，再鼓士氣。第二，帶來十萬新銳交將軍運用。寡人棄將軍而不用，豈不是委奇珍於地，太可惜了！」

他邊說邊將應罰名册的第一卷放在燭火上燃燒，將其餘交還給桓齮。他眼睛注視燃燒着的名册，口中對桓齮說：

「拿回去重新檢討，軍法宜嚴，但要分清過與罪——無心或不得已情況下犯的錯謂之過，再大不至於死；有心或大膽妄爲而犯者謂之罪，雖小必加以嚴懲。細節寡人不再說了，將軍自己斟酌。」

第一卷列名的都是都尉以上的將領，處罰由斬首到削爵爲普通兵卒不等，本應由秦王批准，現在秦王燒了，表示了他的判決。

桓齮避席頓首，兩眼含淚，雙手捧着沉重的絹册，不知如何是好。

「將軍請回座，」秦王微笑着說：「眼前氣氛太緊張了，寡人說個故事緩和一下。」

等桓齮回座，秦王政開始說道：

「有一齊人，欠領主大批債務無力歸還，他向領主祈求說，我事奉你多年，這些債務實在無力償還，是否能寬免一些。領主想到他多年爲他辦事，苦勞功勞甚大，不禁動了憐惜之意，就對他說，以前債務全數勾銷，只希望他今後做事努力些。但他一出門就碰到欠他一百錢的佃農，他抓住他的衣領說：『你欠田租一百錢，去年欠到今年不還，今天我要送你見官！』將軍認爲這個齊人做得怎樣？」

桓齮避席頓首說：

「老臣知道該怎麼做了。」

「目前當務之急不是爭功諉過，而是如何激勵士氣，再決一戰，挽回秦軍不敗的聲譽。」秦王政正色的說。

「老臣遵命！」桓齮再頓首：「大王何時閱兵？」

「寡人來是勞軍，但不是來勞累士卒的，閱兵免了，寡人自會在軍中走動，到處看看。將軍可下令全軍休息半月，將寡人帶來的慰勞品盡情享用。」秦王政微笑着說。

「遵命！」

7

桓齮次日下令全軍——

楊端和帶來的十萬新銳編入戰鬥序列，加上原有經過整頓補充已有十萬人的舊部，總數又達廿萬，而兵員素質和武器裝備更優於原來。

奉秦王命，全軍休息半月，每日千人宰牛一頭，羊十隻，猪廿隻，發酒十罈，值更者不准喝酒，其餘也不得酗酒，因酒滋事者斬！

這些慰勞品全由秦王政帶來的黃金高價支付，附近民眾也發了一筆小財，個個祝禱秦王政躬康泰，廿萬秦軍長期留駐，三年下來，他們眞的都會致富了。

秦軍營地更是像過年一樣，餐餐食肉，再加點酒，每個人都是紅光滿面，展開軍中遊戲，賽馬比箭，投石競距，誰投石投得最遠，就有采金可拿。另外摔跤角力，鬥刀比劍，其他稀奇古怪遊戲，凡是想得出來的應有盡有，無奇不有。

最熱鬧的是毬賽，用牛膀胱吹氣成球，然後不拘人數分成兩方，擺出佈陣態勢，雙方競相手抓脚踢，以丟進或踢進對方球壁爲勝，球壁是以兩人相隔十步形成，下場搶球者成百上千。

圍觀者更是成千上萬，歡呼加油聲驚天動地。

也有些好靜的士卒，拿出隨身携帶樂器，秦箏趙瑟，擊髀而和，歌聲嗚嗚。或是品棋、猜謎，都可贏得賞金。

全軍滿天的陰霾一掃而空，桓齮當眾燒去應罰名册，宣稱奉主上特赦，已經不究。

更奇怪的是，他宣佈補償已受軍棍或鞭笞者，每受一鞭補錢十銖，一棍補錢二十。

這一宣佈，全軍歡聲雷動，高呼萬歲，廿里路外的趙軍壁壘都清晰可聞。

桓齮軍中，先前人人以爲秦王來到前線是爲了清算鬥爭，不知要有多少人頭落地，想不到殺的不是人，卻是這些牛猪羊和雞鴨，而且雖敗，有功者仍然受賞。

在這半個月中，秦王政也展開他的勞軍行動，他脫掉王袍，換上戰袍，只帶王賁和蒙恬兩人巡視各軍。他們總是突然出現，受巡視部隊根本來不及準備，更別說是裝門面做假了。

他首先到的地方是治傷所。

他和這些傷卒閑話家常，並親自爲有些人換藥包紮。他沒忘記笑着問那些輕傷能自由走動的人：

「寡人進城時，沒看到你們中間的任何一個人，不歡迎寡人來？」

大多數的人沉默不做聲。

少數人連忙告罪，找出一些不是理由的理由敷衍。

只有一個人朗聲說道：

「陛下這次來，我等雖未奉命列隊，也應前往歡迎，沒人去的原因有兩個，一個是怕，一個是怨！」

秦王政仔細打量這個說話的人。

只見他左手包紮，用一根吊帶吊在頸上，俊秀的臉還帶着稚氣，看樣子不會超過十八歲，穿的卻是校尉軍官服。因爲秦王進來時，就要桓齮預先通知，他來時，傷卒保持原有養傷姿勢，不必接送，也不必行禮，所以這名少年校尉仍然斜靠着躺在通鋪上。

「怕什麼又怨什麼？」秦王微笑着問。

「怕大王前來算帳，怨秦軍法太嚴！」

「哦？」秦王政臉上的笑容消失了。

但這名生得五短身材，鼻若懸膽，唇如塗丹，兩眼有若寒星閃閃發亮的年輕人，似乎完全不理秦王已經微惱，依舊侃侃而論。

「這個治傷室裡有一半是待罪之身。按秦軍律，撤退失眾過半者論罪。臣在撤退時，率部眾八百騎卒，未奉命而狙擊追擊敵人，拼殺數天數夜，最後只剩卅餘騎，可是至少阻擋了追擊敵人半天的路程，但按律臣有罪，罪名是擅自行動，按律當斬，將功贖罪，削爵免職為行伍。臣不敢言功，但情況緊急，無法向上請示，擅自行動也是為了當機立斷，以寡擊眾，傷亡必多，卻因此而獲罪。此間待罪者情形多與臣雷同。」

「你叫什麼名字？」秦王聽訓半天，不禁皺着眉頭問。

「臣騎卒下尉李信！」

「李信，你未聽到寡人的特赦令？」

「沒有。」李信一臉茫然。

秦王轉臉看看身後感到不安的桓齮問：

「桓將軍，這是怎麼回事？」

「傳令中軍也許認為此事與傷患關係較少，因此後傳這裏。」桓齮連忙解釋。

秦王政又向侍立在旁的蒙恬說：

「你們年紀差不多，說話容易些，你告訴他！」

蒙恬於是照事向李信解釋了。李信聽完，翻身跪伏在地：

「大王恕臣魯莽！」

「手傷得怎樣？」秦王政將他扶起，越看這個英俊的小子越覺得可愛：「還可以走動嗎？」

「手傷還可騎馬，右手一樣殺敵！」李信高興的說。

「那爲什麼還賴在這裡裝病號？」秦王裝作生氣的問。

「無兵可帶，只有在這裡待罪了。」李信笑着說，十足一個調皮的孩子。

站在一旁的桓齮，看他對秦王這樣隨便，早就爲他嚇出一身冷汗。

「那就跟我們走吧，王賁，爲他準備一匹馬！」

8

秦王政半個月來巡遍了全軍各級部隊。

他和他們一起大碗喝酒大塊吃肉，席地而坐。

他和他們較技，在射箭，比劍上，他贏了全軍選出的最優秀代表；可是在投石、角力、馬術上輸給了他們。他搖頭嘆氣，眞是曲不離口，拳不離手，他跟老爹習馬術時，他可是讚他有天賦的！車坐得太多了！

他也下場踢毬，王賁、蒙恬、李信三人護衛在他周圍，搶着毬就傳給他，四人一體滾滾前進，一再踢毬進壁，看得周圍觀戰士卒歡聲雷動，興奮得將頭盔往天上丟。

尤其李信，左手包着白布，在場中穿梭縱橫，就像一頭橫行在狼羣中的捷豹，只要他一到，毬一定給他搶走，他似乎忘了左手上的傷。

本來，秦王只是二十七、八歲的青年，他有時戰袍，有時勁裝，下場踢毬，也和眾士卒一樣，脫掉上衣，露出他的雞胸特徵，認眞搶毬，顯露出年輕人本來的面目。

他以國君之尊，勞起軍來，眞正溶進了士卒整體，而不像一般大臣巡視或是勞軍，只是蜻蜓點水似的，點了幾下表面就走。

現在他每到一處，接觸到的不再是冷漠恐懼的目光，他們見到他的身影就狂呼萬歲。在這些士卒熱切的眼神中，他看得出只要他一聲令下，他們可以為他陣前忘親，接敵時忘身！

這些純樸農民化身而成的兵卒多可愛，多單純，就像他們所耕作的田地一樣，只要你肯先投下一粒關懷的種子，他們就報答你一百倍，一千倍！

但為什麼大多數的統治者都不明白這一點？

快樂的時間最容易過，很快半個月的假期滿了。

當天點卯後的一大早，全軍各部一百多名代表聚集在秦王政行宮門口，他們要求他接見。

秦王政要王賁帶他們到大廳坐下，他要親自和他們談話，半個月下來，他和這些士卒及下級校尉在心靈上已很接近了。

桓齮聞訊急忙趕來，不知道又發生了什麼事。

在眾人行禮和萬歲歡呼聲中，秦王政面對這些代表而坐，首先他問道：

「各位英勇戰士，親愛弟兄，有什麼事見教寡人？」

一名聲音宏亮、身材高大、滿臉虬髯的大漢出列跪伏在最前面，他似乎是這些代表中的代表。他啓奏說：

「臣等奉全軍士卒推出作爲代表，請大王准予一戰！」

「你們玩夠了？」秦王政笑着說：「想起幹正經事了？」

眾士卒代表忍不住哄然大笑。

坐在一旁的桓齮連忙高喝：「禁聲！」在主上面前如此喧嘩，乃是大不敬的事。

「桓將軍，讓他們去，」秦王政縱容的說：「這是戰地，不是朝殿，我們是談話，不是議事。」

「你們想打仗了嗎？」秦王政問。

「前次戰敗的恥辱，必須洗刷！」下坐代表幾乎是異口同聲的說。

「你們的兵器磨利了嗎？你們的馬蹄鐵檢查好了嗎？你的車軸潤滑油夠不夠？」秦王政一本正經的問：「最要緊的是檢查你們的靴子合不合脚，最好準備兩雙舊靴子！」

士卒代表面面相覷，不知道秦王政問這些話是什麼意思。他看出他們的眩惑，又笑着對他們說：

「不管我問話是什麼意思，只要據實回答我！」

「還沒注意到這些。」有人回答。

「眞的不知道。」有人這樣說。

「我們回去就檢查。」也有人如此說。

「知己知彼，百戰不殆，自己的鞋子合不合脚都不知道，如何去和敵人打仗？」秦王笑着說。

「這倒是眞的，」眾人中有人小聲說：「以前我們怎麼沒注意到？」

「那就回去準備吧！」秦王大聲宣佈：「一切準備好，由各級領軍按級呈報桓將軍，他才是這裏的主帥！」

眾代表散去以後，秦王政對侍坐一旁的桓齮說：

「士氣已可用，我們也該開始準備了！」

9

多日來，桓齮和高級將領頻頻召開作戰準備會議。

下級校尉則帶着兵卒礪兵秣馬，採演陣法。

全軍整個都動了起來，而且是自願自發的動，很少像過去那樣需要下級校尉叱喝甚至是體罰。

每次會議秦王政都是要桓齮主持，打破歷來君主在軍，君王就是當然主帥的慣例。

他告訴桓齮說，古時各國會戰，車輛不過百乘，兵卒很少逾萬，諸侯國小，君主就是當然領軍人。但如今各國疆土變大，軍隊人數增多，一次會戰，動員就是數十萬兵力，長平之戰，秦趙雙方兵力竟高達百萬。加上兵器裝備的改進和複雜程度，指揮作戰絕非一般君主所能勝任，必需要有專業化的職業軍人，也就是「將」。

有些君主和太子領軍，剛愎自用，不聽將的建議，造成全軍覆沒的慘劇，史書上多的是例子。

桓齮一開始不習慣，他爭辯說，將軍主持會議，君王坐在一旁旁聽，這是史無前例的事。

「一切規矩制度，由寡人開始，」他如此告訴桓齮：「這次仗是由你來打，寡人此次來不是御駕親征，而只是勞軍。」

同時他指示正式場合都會隨侍的史官說：

「記下來寡人的這句話——以後寡人有什麼不按慣例行事，就是創立一個新制度、新慣例，一切由寡人開始！」

因此，所有作戰準備工作都是由桓齮在推行，每晚向他提出滙報，有問題的他指點幾句。大部份的時間他是用來巡視部隊和士卒聊天，極其重要的會議他才出席旁聽，最後偶爾提示幾點意見。

王賁、蒙恬，連那個目中無人、恃才傲物的李信，這時對秦王政已是佩服得五體投地。

那天晚上，秦王政正在和桓齮討論這次作戰目標和方式，他一時興起，想考驗一下這三個人的才幹，便要近侍將三人找來。

他指着內牆上的作戰地圖說：

「敵人現佔領平陽和宜安兩城，據間報，兵力總計約十萬人，料敵從寬，我們就算它十二萬人，寡人的目標不但要攻佔兩城，而是要全殲趙軍。連寡人和桓將軍在內，我們五人分別書出攻擊方式，然後加以比較，看誰的最高明。」

三個年輕小將圍聚地圖前面，先看淸兩城地形，然後各據一案沉思寫起來。

最快繳卷的是李信，最慢的是王賁。秦王政書寫好了也交給桓齮，等五個人的答案都繳齊以後，秦王政在桓齮未打開前，先向桓齮說：

「寡人的答案不是定案，只能作爲參考，將軍實際用兵自有你的考量，我們四人都是不算數的，明白嗎？」

「臣遵命。」桓齮開始打開五個絹卷。

秦王政、桓齮、蒙恬三人答案相同：

「圍平陽，伏擊宜安援軍。」

王賁、李信則各自與他們不同。

王賁是：

「攻宜安，大部兵力在太行山進口排陣待敵。」

李信是：

「少數兵力猛攻平陽，闕一面，大膽追擊。」

秦王政笑着說：

「五個人，三種答案，現分別說明構想理由，寡人和桓將軍想法與蒙恬同，就由他代表我們三人說明。」

蒙恬首先提出理由：

「圍平陽是着眼趙軍指揮中心在該處，郭信必令宜安趙軍來救，因爲他們佈陣就是犄角之勢，攻其左，右來救，攻其右左來救。平陽爲趙軍所必救，因此可做到圍點打援，達成全殲效果。」

王賁的理由是：

「郭信膽小好色，朝中又有兄長郭開爲奥援，我軍攻宜安，他必會棄城而逃入太行山區，我軍正好在該處佈陣，以逸待，消滅其主力。」

李信駁斥王賁的理由說：

「這種行動太過冒險，雖然趙軍撤退，太行山是它最好的屏障，但郭信並不一定會利用，假若他慌張而急不擇路的亂走，我軍就會變成守株待兔，可能白辛苦一趟。」

秦王政點頭稱好：

「還有呢？」

「依臣的構想，攻宜安，郭信爲了怕分散兵力，絕不會救。而猛攻平陽，露出往太行山區的缺口，郭信必往這方面撤退，我軍可大膽使用騎兵斷其歸路，與追擊部隊合殲趙軍於太行山進口。即使趙軍未如我預期的向太行山撤退，我軍亦可緊隨趙軍後進行追擊，殲敵於女戟附近。」

秦王政看看桓齮：

「將軍，你有什麼意見？」

桓齮笑着說：

「眞是英雄出少年，聽了他們三個人的構想，再看看他們的年齡，臣不能不服老！」

言下之意，感慨甚深。

「桓將軍，不必感嘆，想將軍在十八、九歲時，不也是叱咤戰場，所向披靡的麼！」秦王政安慰他說。

他沉思了一會又說：

「寡人、桓將軍和蒙恬的作戰構想，全是中規中矩的正常用兵方式，而王賁則是用險，成則達到全勝的效果，不成就可能達不成全殲的作戰目標。而李信正中有奇，險中求全，不過還是有以己意度敵心的缺點，假若郭開決心守城，我軍重點放在準備追擊，則會犯下逐次使用兵力的錯誤，這是不能不注意到的。」

「大王所見甚對。」桓齮等四人異口同聲的說。

「桓將軍可將三個構想和帳下有關將領討論一下，找出一個最佳方案來。」秦王政笑着對桓齮說。

由這次考試，秦王政對這三個人的用兵個性有了進一步的了解，將來怎麼用他們，也有了基本概念。

10

攻擊發起的前一夜，全軍都進入沉睡，只有少數值更的人和巡邏隊，點綴活動在各處營地。少數燈光亮着，和遠處點點寒星相映。

秦王政騎在馬上，由三名小將護隨，他們穿梭在各營地之間，細細品味這股大戰前夕的寧靜和沉寂。

上弦月正沉沒在地平面上，大而紅，帶着血淋淋的顏色，給人的是一種不祥的感覺。

北方一顆彗星，拖着長長的尾巴，混身血紅色，似乎是被月光染紅了似的。

彗星現北方主刀兵，這場戰爭一開始，今後天下刀兵會不斷，是不是每天都會有彗星出現？

秦王政在心中如此想。

他也想起對王后的諾言，少則三個月，多則半年，他就會回去，如今已三個月到期，戰爭才剛要開始，也許他眞要等半年才能回去。
蒙武前些日子來曲沃軍中報到，他既然不想主持這場戰爭，也就打發他往王翦軍中去了，這裏有桓齮和楊端和已經足夠。
還有三名小將，他要留給桓齮，讓他們建立功勳，也是磨練。而他自己到底是要留下來，還是在攻擊發起前回咸陽去？
這場仗必勝無疑，他留在這裏，可以親眼欣賞戰爭的偉大場面，親身體會戰鬥中的忘我及瘋狂，以及勝利後的狂歡和成就感。
韓非對他說過，人間最壯觀刺激的是戰爭場面，可惜所付出的代價太大。
再過幾天，前些日子和他比劍、賽馬、搶球的那些士卒，有些很快會變成白骨骷髏。人都會死，只是戰爭加速了生到死的過程。
成千上萬的年輕人，未經過正常的結婚、生子、衰老，突然間就走入死亡，這是人間莫大的悲劇！也許，爲了這個原因，他就不能留下來參加戰鬥，免得感受到這種悲劇氣氛，會消磨他征服天下的壯志，未來批准作戰計劃時會心寒手軟。
秦軍有一個不成文的做法，就是禁止用戰鬥兵卒清理戰場。用來掩埋屍體，清理遺物，辦理善後的，全是地方民眾和不能再從事戰鬥的老弱殘兵。

他要是留在這裏，就免不掉要看到很多這種慘狀。

再有，只要他留下來，無論他是否參與指揮，主要功勞和榮譽按秦法都要歸於他，桓齮可能很少有機會再恢復以前的英名，因爲這幾天他常透露倦勤之意，只希望好好打完這場仗就告老退休。

這場必勝之戰就成全他吧！名將如美人，不容世間見白頭，桓齮的頭已白，該是讓他悠遊林下的時候了！

側面遠處，正有大隊憧憧黑影在移動，馬銜枚，人屏息，只聽得人馬急速行走沙地上發出的沙沙聲。

他知道這支人馬是要發動拂曉攻擊，先攻佔敵前哨壁壘，掩護全軍進入攻擊準備位置。想到戰爭，他的血又沸騰起來，難怪老爹常說，他的狼音豺聲表示他和豺狼一樣嗜血，見到血就會瘋狂。以後要切記莫輕開殺戒，否則一開始殺人，連自己都克制不住。老人也老了，良將還可發掘培植，像老人這種良師呢？

爲了驅散這些雜亂的愁思，他停馬轉頭問隨侍在旁的三名小將說：

「你們明天是跟寡人回咸陽，還是留在這裏協助桓將軍？」

「大王不參戰了？」三人幾乎是異口同聲的驚問。

「你們認爲這場仗的勝算如何？」

「百分之百的勝算，必勝無疑！」李信口快，搶着回答。

「那就留着讓桓將軍和楊將軍去打吧，」秦王笑着又問：「你們呢？誰願意留下，誰願意隨寡人回咸陽，寡人都不勉強。」

「臣離開戰場就像魚離開水，不久就會窒息而死，求大王准臣留下。」又是李信說在前面。

多日來，三個年輕人都已建立了深厚感情，其餘兩人明知道留在這裏，未來生死難卜，跟在秦王身邊，將來前途無限，但王賁和蒙恬仍然同聲說：

「臣願意留下參戰！」

「那也好，這下寡人來前方勞軍，留下的東西眞不少！」秦王微笑。

第二天清早，桓齮來行宮啓奏：

「敵前哨壁壘經我拂曉攻擊，只作輕微抵抗即棄壁而逃，經追擊殲滅過半，其餘退入城中，我軍主力部隊正分批按計劃進入攻擊準備位置。」

「桓將軍，這些事你和楊端和自己處理，寡人今天就要帶着三千虎賁軍啓程回咸陽。」

「陛下！」桓齮驚詫的喊。

「這場戰由你自己好好去打，寡人勞軍任務完成，收韓滅魏，很多事情還在咸陽等著我做。」秦王不在意的說。

「陛下！」桓齮這次喊聲充滿感激：「待臣爲陛下祖道送行。」

「戰爭期間，一切從簡，」秦王指指身後三名小將對桓齮說：「這三個年輕人交給你了。多加愛護，但不要惜用，先以左右尉任職，表現得好，你再自己作主，看要他們做什麼。」

他接著命虎賁軍統領準備回咸陽事宜。

最後他向隨侍在側的史官說：

「記下來——十四年，王至河南勞軍，」然後嚴肅的又對桓齮說：「下面的歷史看你怎麼寫了。」

桓齮眼中含滿感激淚水。

11

桓齮這次爲他寫下的歷史是：

「秦王政十四年，攻趙軍於平陽，取宜安，破之，殺其將軍，桓齮定平陽、武城。」

他回到咸陽沒有多久，就接到桓齮的詳細戰果報告，佔領五座城市，殲敵十萬。

他用的是綜合五個人的作戰構想：先一舉攻佔宜安，郭信果然棄城逃亡，部份人逃往太行山，他則帶着部份人沿汾水北上。他也算準了秦軍會在太行山進口佈下陷阱，自認聰明不上當，但遭到李信三千輕騎兵的攔截，與桓齮親自率領的輕裝部隊的追擊，郭信被殺，三萬人被殲，兩萬餘人投降。楊端和與王賁的攔截部隊則圍殲趙軍萬餘人，其餘逃至太行山區。

秦趙軍現對峙於太原及番吾之線。

戰報外另附了一張桓齮的告老乞退表，薦楊端和自代，並力推王賁、蒙恬和李信爲不可多得的將才，在這次戰役中，無論才智勇武都表現極佳，應升爲都尉。

另呈上檢討表，列上應賞罰名冊。

秦王政一一批准。

捷報傳來，眾臣朝賀，大擺慶功宴自不必說。

但樂極生悲，秦王政的戰勝沉醉猶有餘味時，前線又傳來戰敗消息。這次又是李牧出場，他仍然是以劣勢兵力繞過番吾，與秦軍在番吾西方二十里處進行會戰，以五萬不到兵力，擊潰楊端和十萬大軍，楊端和不得已引軍退至魏境鄴城。

趙王遷大喜，命李牧爲大將軍，司馬尙爲副，沿太原汾水以北地區、閼與、番吾佈防，抵禦秦軍。

秦王政有前次大敗的經驗，這次他表現得非常沉着平靜，他眞正體會到「勝敗乃兵家常事」的眞義。

不過他明白，只要有李牧在一天，秦想滅趙，簡直是不可能的事。但只要除掉李牧，滅趙有如囊中取物。

他找李斯來商議的結果，結論是：李牧經過這兩次的以少勝多，而且勝的是剛獲全勝的秦軍，他不但是趙王的禦秦長城，也成爲趙國家喩戶曉的神話英雄，在番吾、閼與等地區，甚至有民衆爲他建了生祠，日夜燒香祝禱他長命百歲。

這種情形下想再用間來除去他，一時很難辦到。

更嚴重的是，郭開爲了這次郭信在平陽被殺，認爲秦國太不給他面子，拒絕再和秦國合作，派了幾次使者去見，連他的面都見不到。

經過幾夜的思考，秦王政決定用兵與用間雙管齊下，同時藉這段時間先解決韓魏的問題。

他採取的步驟是——

再徵卒二十萬分別增援楊端和及王翦，總計前方可用兵力達四十萬。

楊端和軍駐原地鄴城，積極作直接進攻趙都邯鄲的準備。

王翦率軍十五萬進駐太原，原韓地防務交由韓騰負責，並將韓騰由都尉升爲內史。

調蒙武回朝，另有任用。
秦王政明白，先將兩路圍攻趙國的態勢擺好，除掉李牧以前，他必須忍耐。

良將李牧

1

秦王政及王后在南書房接見蒙武夫婦。

蒙武在韓地軍中奉召，日夜兼程趕回咸陽，剛回到府中，還未來得及休息，秦王政的使者就到了。

在各人行禮完畢就座以後，秦王政帶點歉意的對蒙武夫婦說：

「蒙卿夫婦久別團聚，還未細敍別後種種，就將賢伉儷請來，是有點殺風景，但情況緊急，寡人能早一刻見到蒙卿，寡人就早一刻安心。」

「陛下如此說，蒙武怎麼擔待得起！」蒙武感激的說：「楊將軍兵敗番吾，臣是知道了，不知陛下緊急召臣，有何差遣？」

「寡人想派你去一個地方，擔任一項你曾經擔任過而且做得很好的任務。」談到此秦王含笑止住。

蒙武看看妻子齊虹，只見她面有難色。蒙武暗暗奇怪，前次齊虹自動請求要去趙國，這次怎麼突然好像不願意起來。

果然秦王政也看出齊虹的神色不對，他轉向她說：

「不錯，寡人想派賢伉儷去趙國遊說郭開，表妹有什麼爲難之處？」

王后和齊虹在一起，常呼她表妹並不稀奇，聽到秦王首次這樣稱她，她不禁身心俱震，有如遭到雷殛。她明白君王口中越甜，內心越毒，這樣稱呼她是要她非賣命不可。

她心中有話想說，但是開不了口。

蒙武見秦王稱自己妻子表妹，也是膽戰心驚，不知是福是禍，是該高興還是該擔憂。

秦王久等不到她的回話，臉上已現出怒意，他終於忍了下去，和言悅色的又問：

「表妹前次自動請去，寡人爲了你們新婚，不忍破壞你們新婚愉悅，所以不准。如今寡人有請，表妹怎麼爲難起來了？」

這時齊虹不得不答話，她語詞誠懇的說：

「臣妾前後矛盾，難怪大王生疑，實際情形是上次只要調開李牧，臣妾自認不需要經過郭開就可辦到。如今李牧已成爲滅趙最大障礙，非置於死地不可，而李牧目下王寵正隆，要除掉他，只有郭開這條路可走，可是郭開……」她又說不下去了。

這時一旁久未開口的王后，附耳對秦王說了幾句話，秦王擊案仰天大笑，他說：

「這不是正好嗎？」

齊虹面有慍色，但不敢說什麼。

只有蒙武弄得一頭霧水，坐立難安。

王后笑著對齊虹說：

「表妹，妳和蒙將軍都不是小兒女了，這次結合也是兩人惺惺相惜，英雄識英雄，有什麼不能讓他知道的事？妳不願說，讓我來幫你說。」

「表姊！」齊虹想制止王后，但秦王政在座，不是撒嬌的時機。

「其實也沒什麼，」王后對着蒙武說：「郭開一直垂涎於表妹，他們雖從小認識，郭家和她姑丈家也是世代通家之好，但表妹一直討厭他人品猥瑣，從不假以顏色。只是他死纏活賴始終不死心，直到表妹嫁人……」

齊虹在旁不斷用眼神祈求王后別再說下去，王后也只能說到此爲止。

「這對工作不是更爲有利嗎？」秦王政目光注視着蒙武說。

就在蒙武要答話時，忽然有近侍來奏：

「燕太子丹求見！現正在偏殿等候。」

「告訴他寡人正在議事，沒有時間見他！」秦王政皺了皺眉頭說。

「奴婢已對他說過，但他堅持要見。」近侍又稟奏說。

「有什麼事，大王就出去接見一下，臣妾可以陪表妹夫婦聊天等着你回來。」

「不見就是不見！」秦王政在蒙武夫婦那裡所積蓄的怒氣，藉機發洩出來，他對王后說：「妳不知道這個人多討厭！他仗着他父王和先王那段交情，憑藉寡人和他幼時在邯鄲相處過一段時間，整天纏著我要對不侵燕提出保證，口頭不行還要書諸文字，寡人眞給他弄得煩死了！而且每次說見就一定要見，好像寡人是他家奴婢一樣。」

他越說越火，當他看到近侍猶跪伏在地等候答覆時，他大聲叱喝說：

「你沒聽見寡人的說話嗎？不見，要他滾！」

近侍嚇得臉色蒼白的退出，相信他也不會給燕太子丹好臉色看。

「其實你應該接見他，安撫他幾句，」王后委婉的勸諫：「秦國少一個敵國，攻趙也比較容易些。」

「不知爲什麼，寡人一見到他就煩，任何事都談不上來！」

蒙武夫婦看到秦王政發脾氣，有點驚惶不知所措。他這種反常的反應只有王后心裡明白，可是不能說出來。

秦王政對邯鄲的童年回憶是兩極化的。他懷念和她兩小無猜攜手同遊的時光，也忘不了那段日子裏所遭的侮辱創傷。到如今，他還常在夢中和那些惡少打架，每次都是驚懼的哭叫流着冷汗嚇醒過來。任何強者在噩夢中都是如此脆弱！他總是像個受驚的幼兒，鑽進她的懷裏尋求撫慰。

她懷疑，秦王政從不留任何姬妾過夜，是否和這有關？他不願這些女人見到他這副孤獨無依的軟弱相。

每次他神定以後都會咬牙切齒的說，等到他征服趙國回到邯鄲，他要好好算這筆帳，另加那些貴婦人對他母親所有的欺凌！

燕太子丹是否知道，他每次來都會勾起他的噩夢，以及那些噩夢似的回憶？

蒙武夫婦見秦王政發怒，不敢再逆批龍鱗，只有主動答應。齊虹無奈的說：

「大王差遣，雖赴湯蹈火臣妾也不敢辭！」

「蒙卿不方便去，」秦王政突然又改變主意：「因爲蒙卿自從完成聯齊任務後，縱橫外交之才已名滿天下，此去目標太大。」

「臣一切聽大王差遣，在咸陽稍待幾天，臣就回去韓地軍中。」蒙武一千個震驚，一萬個無奈，可是不能表露出來。

「表妹聰敏過人，加上邯鄲是她生長舊地，關係又多又好，蒙卿不必擔心。」秦王政此時面色已變得和悅：「你也不必回軍中，留在朝中主持間趙的事，這樣你們夫妻可以一直有連絡。」

「臣妻做事，臣倒是放一百廿個心的。」蒙武擠出微笑回答。

秦王政突然像想起什麼似的，笑著對齊虹說：

「寡人恭喜妳有個這樣好的丈夫，其他不說，就憑他生平不二色的操守，就不知羨殺多少王室金枝玉葉。當年他先妻過世，王堂姊長公主託寡人暗示，有意下嫁，他都以居喪心情不好拒絕了，最後還是由表妹妳得到，妳真是福氣好！」

「臣妾這次去趙若有不測，長公主仍然可以下嫁，」齊虹故作大方的笑着說：「不然臣妾願意退居側室。」

蒙武不敢插嘴，幸虧王后在一旁打圓場，她笑着說：

「你們還要談問趙的事，不要節外生枝！」

接下去他們討論了一些行動細節，蒙武夫婦拜辭。

深夜，廷尉李斯來報，燕太子丹已逃出咸陽，往函谷關方向輕騎簡從而去，現正追緝中。

「不要管他，」秦王政想了想對李斯說：「讓他去！」

2

蒙武夫婦回到府中，途中車上，齊虹始終神色戚然，不發一語。

蒙武這次回來，原本是久別勝新婚，加上他平日待下人寬厚，府中上下充滿歡欣氣氛，這樣一來，兩人的心情就像在暮春三月突然掉到冰窖似的，心寒而無奈。

侍女們不需齊虹的吩咐，就將臥室佈置得像新婚洞房一樣，新紅色錦被，新琉璃吊燈，一切擺飾全用他們新婚當天用的，而且排的位置都絲毫不差。

更可愛的是，她們還點上一對大紅蠟燭，几案上擺着兩副象牙箸、銀壺玉杯、銀調羹，上面都貼着「小別勝新婚」的紅絹剪成字樣。

齊虹見到這種場面，忍不住噗哧笑了，她說：

「都是你平日慣壞了她們，膽敢調侃起我們來了！」

「冰河終於解凍，」蒙武歡欣的說：「她們不能說沒有功勞！」

齊虹要侍女送上小菜退出後，她親手將玉杯注滿了酒，舉杯長嘆一口氣說：

「侍女們不知內情，個個歡天喜地，怎知道小別新婚酒竟又成了離別酒，武郎，乾！」

兩人碰杯乾了，齊虹正色的說：

「郭開貪財好色，賤妾此去，前途難測，尤其他知道我已嫁給了你！」

「夫人不必太過擔心，既然主上留我在咸陽主持這件事，我們會連絡不斷，彼此的安危和行動都會很清楚。」蒙武安慰他說。

「再喝一杯！」齊虹又舉杯敬蒙武：「相信我，即使是死，我不會做對不起你的事！」

蒙武聽到她這樣說，臉上顯出一片悲傷，換成他沉思起來，室內空氣變得很僵。

「眞的，不要以賤妾爲念，」她又長長的嘆了一口氣：「秦王明知道我和郭開的這種複雜關係，偏偏要逼我去，要不是王后一再向我解釋，長公主的事已成過去，我眞會懷疑，秦王是否爲了他堂姊，有意將我往虎口裏送！」

「妳怎麼這樣說？」蒙武不得不開口說話：「別說那個長公主又老又醜，就是美若天仙的幼公主，蒙武說不動心就不動心！」

「長公主醜？」她不禁笑起來：「騙別人可以，別忘了我經常和她在王后那裡見面，雖然談不上美若天仙，比我可有女人味得多！」

「美醜本來就是件樂山樂水因人而異的事，喜歡就是美，不喜歡就是醜，就拿長公主來說，別人說她嚴肅端莊，氣度雍容，在我眼中卻是一派做作，見了就想吐！」

「不要背後將人家說得這樣不值一文錢。」齊虹格格的笑起來，又敬了蒙武一杯酒。

但女人情緒說變就變，她喝下這杯酒後，突然神色變得悲戚，帶點哽咽的說：

「武郎，你要相信我，到趙國眞要有什麼，我不會對不起你，我寧願選擇……」

她「死」字未說出口，蒙武已將她擁入懷裏，用手蒙住了她的嘴。他另一隻手輕撫着她的秀髮，口中喃喃說：

「不要說死，爲主上，爲秦國，妳不管受多大委屈都得活下去。西施爲了越國，可以獻身吳王夫差，范蠡日後對她一樣敬愛。」

「我沒有西施那麼堅忍，」她倒在他懷裏，淚如泉湧：「再說秦國不是我的祖國，秦王也不是我的主上，你生在秦國，也許可以將秦國當成祖國，你受秦王知遇，也許應該認爲他是你的主上。但我不是，我被迫爲秦作間，出賣祖國這多年，我已經恨死了秦國侵略成性，秦王當然也包括在內。」

蒙武一時語塞，只能用嘴吻乾她的眼淚，卻不知越吻越多。

「我是爲了你，武郎，我願意被迫做我不願做的事，完全是爲了你！」她哽咽着斷斷續續的說。

「爲了天下人，」他在她耳邊親吻着說：「爲了天下萬世太平，百姓永不再受戰爭之苦！」

「好吧，我會盡量用你的話來矇騙自己。」她深情的注視着他，深深嘆了一口氣：「但我內心還是知道是爲了你！」

「我相信，妳肯這樣做完全是爲了我。」蒙武也變得情緒衝動起來。

他將她抱扶成爲長跪姿勢，舉杯向天說：

「願上帝和列祖列宗明鑒，我蒙武發誓，無論如何情況下，我都不會負齊虹吾妻！」

他們緊緊擁抱，半晌，蒙武突然說：

「妳既然不願到趙國去，我們去向主上告病。」

「他不會答應的。」她搖搖頭。

「我們棄職出走！」

「他不會放過我們的，你到現在還不了解他的性格？順他，他會當你是稀珍異寶，愛惜唯恐不及；逆他，他會視之若寇仇，不徹底毀殺，絕不甘休。」

蒙武亦不禁惘然。

「不要想那樣多了，我只要你答應，無論聽到什麼傳言都要相信我！」

「我會的，我剛才不是發過誓了嗎？」

「那你還在想什麼？」

「我在想，天下太平後，我要像范蠡一樣，帶妳到一處山明水秀的湖邊——不，也許海邊更好——隱居起來……」

「那還是很久以後的事，眼前我們只有十天的假期，還不趕快享受！」她格格輕笑。

他接連兩揮，熄滅了兩根紅燭火。

3

齊虹抵達邯鄲，住進姑媽——亦就是公孫玉舅媽——家。

她發現到，離開邯鄲十多年，邯鄲的變化眞大！新的巨宅高樓紛紛建起，有如雨後春筍；廿多年來未直接遭到戰火的蹂躪，新生一代早已忘了戰爭是怎麼回事，但邊境上不時傳來的戰爭消息，促使這些年輕人有了「不知明天」的頹廢，他們信奉的是「今朝有酒今朝醉」的信條。

有能力賺錢或貪污搜刮的巨賈顯要，拚命想法子賺錢搜刮，得到的錢有的在窮鄉僻野另用姓名購置產業，準備趙國亡國，就躲到鄉間養老。

有的怕國內不可靠，就到國外置產。其中部份人認爲齊國和秦國一向友好，秦軍不會打到那裏去，紛紛到齊國買鹽田，投資礦產。部份人覺得齊國人畏戰，將來趙亡以後，秦軍順勢就可輕易滅齊，所以齊國並不可靠，而楚國強大，民性強悍，兵強馬壯，可與強秦一拼。因此他們又將用盡各種惡劣手段搜刮來的錢，轉投資到楚國的土地、木材和礦產上。

他們人在趙國，心早就放在齊楚，一心只打算怎麼亡國，亡國後該怎麼辦，卻從未想到趙國仍然完整，只要在上者不貪污要錢，武將不貪生怕死，大商巨賈不囤積居奇，操縱市場，不投機炒地及壟斷土地，使得農村破產，貧者連食糟糠都求之不得，趙國仍然是有希望與秦一決雌雄的。

因此，李牧連破秦軍，並沒有給這些人帶來眞的信心和振奮，潛意識他們還討厭李牧，因爲他擾亂了他們的移民計劃，在將資金轉出去的時候，又會多一份考慮。而且趙國要是不亡，豈不是顯得他們以前的高瞻遠矚都是騙人和嚇唬自己的，豈不是會突顯他們的愚蠢？

所以，趙國民眾將李牧看作是英雄，是上天派來救趙國的神人，而在這些人眼中，李牧只不過是一時僥倖，突擊冒險，戰敗了永不可敗的秦軍，他實際上只是一隻奮臂擋車的螳螂。

齊虹也發現到，時隔十多年，邯鄲仍有它一些毫未改變的規律。

富者越富，窮者越窮。

貧民窟依然骯髒雜亂，範圍依然愈來愈大。

傷殘士兵仍然流浪街頭乞討，只是其中參加過長平之戰的都已白髮蒼蒼，近三十年來的日子，不知他們怎麼活過來的。

大戶人家的聲色犬馬、絲竹笙歌，市井的燈紅酒綠、尋歡買醉，夜夜處處，不夜的邯鄲依舊。

尤其是趙王遷登基以後，他母親原爲歌伎，他血管裏流着母親音樂的血液，他不但喜歡音樂，而且是深通音律，譜曲填詞，所得新作，莫不在邯鄲家家傳歌，隨之傳遍天下。

君子德風，小人德草，風吹草偃，上行下必效，趙王喜歡音律聲色，趙國朝野上下也就莫不嗜聲色若狂。

大敵當前，除了前方士卒外，全國聽不到抗秦的言論和呼聲，滿耳都是淒涼的趙曲和靡靡亡國之音的鄭風。

齊虹看到這些情形，心裡非常矛盾。她預測這次任務不會太困難，威脅利誘，向郭開提出秦王的保證，亡趙後會給他優於現在的待遇和官職，郭開應該會很快就範。但她也爲趙國難過，這裡到底是她生長的地方，她對趙國，尤其是邯鄲，眞有一種難言的深厚感情，何況趙齊唇齒相倚，唇破齒寒，接下去就是齊國——她的祖國！

齊虹在邯鄲拜訪了親友故舊，連絡上原先珠寶店的舊屬，這一趟下來就是兩個多月去掉了。

只有兩個最主要的人她沒見——

郭開，她等著他得到消息來找她。

趙悅，這位秦王臨行前交代的趙國地下領袖，非必要她不想驚動他。他太老了，託他辦事，他一定會交代底下，這樣太過招搖，驚動太多的人。

果然，有一天，郭開託她姑父帶信，說是她來邯鄲兩個多月都不去看看他，是否忘了故人？

4

郭開為了表示權勢和財富，有意在大廳接見齊虹。

齊虹只是帶了一婢一僕，乘着雙駕安車來訪，他卻開正門迎接，護衛兵卒由大門一直排到大廳階下，整整好幾百人。

容納得下百餘席案的大廳，粗樑巨柱，雕刻精緻，四周牆壁上更畫着巨幅的壁畫，全是出自名家手筆。

席案四周壁邊全擺着奇花異果，遠遠看去一片翠綠，就像置身於花園當中。

廳中盡頭今天只放了兩副席案，顯然他將她當作最親密的貴賓，不想找其他人作陪。可是在廳中伺候的男僕超過十人，排列在他身後的燕瘦環肥佳麗不下二十餘人，個個都錦衣綉袍，盛粧全飾，擺明是向她示威的。

分賓主坐下之後，十幾年不見，免不了要互相仔細打量。

郭開十幾年來，官做得更大了，如今身居上大夫御史之職，但因陪趙王吃喝玩樂，隨時都伴隨君王，趙王對他言聽計從，實權超過丞相。

可是他那副尊容卻一點都沒有長進：尖頭鼠目，猴腮豬嘴，下巴戽斗向前突出，身高不滿六尺，卻裝出一副巨人相，說話都是眼看着天不可一世的模樣，三十五、六歲的人，卻表現得老氣橫秋。

「賢妹來邯鄲兩個多月了，爲什麼都不來看看愚兄？」他首先責難。

「小妹的意思是先處理好一些雜務，然後專程拜訪，想不到兄長先見召了，我這不是已奉召來了麼？」有事求人，她心中作嘔，表面上卻不能不笑。

「聽說妳嫁了一個好丈夫。」郭開語氣中嫉妒多於恭賀。

「唉，談不上好壞，」齊虹嘆了一口氣，裝出一副受委屈的可憐相：「表面上再好，性情不合，說什麼也是假的。」

「所以妳就到邯鄲散心來了？」郭開眼睛發亮，似乎閃爍着無窮希望。

齊虹看了，心裏感到高興，看樣子他對她猶未忘情，男人就是這麼賤，得不到的永遠是最好的。

她故意看看他身後排列的二十多個女人，中間的確有幾個稱得上麗質天生，天香國色，而且年紀又輕，不會超過二十歲，她這個三十多歲已嫁過兩次的半老女人眞是無法與之相比。

但他的目光卻一直停留在她臉上，似乎要將她活剝生呑，對後面那些女人卻不屑一顧。

「賢妹不必看了，都是些庸脂俗粉。」他半是客氣的說。誰知他這一說竟引起身後這些女人的抗議，有人小聲咕噥，也有人嘰嘰喳喳的當着客人面議論起來。

他這句話像是頑童用棍子捅翻了蜂窩，照情形看來，他對這些女人也不是駕御得很好。

她不明白趙王遷看上他那一點，竟如此寵信他。趙王是天下聞名的美男子，琴棋書畫，跑馬射箭，樣樣精通，可說是每個趙國少女的夢中情人，偏偏喜歡一天到晚和這樣醜陋的男人混在一起，眞是不可思議，也許他是想利用郭開的醜更爲突顯他自己的美吧！

這些女人的嘀咕嘈雜，使得齊虹不得不轉移視線，改變話題。她指著廳內周圍的那些奇花異果說：

「時値嚴冬，兄長還能找到這多長綠花樹，眞是難得！」

她這樣說不打緊，只見郭開仰首哈哈大笑，身後那些女人也以袖掩唇竊笑。

「我說錯話了嗎？」齊虹不解的問。

「虧妳還是珠寶世家，連這些人造花草都看不出來。」郭開又是一陣大笑。

齊虹起身仔細一看，這些盆栽除了幾顆冬青以外，的確全是些人造物。它們以金做枝幹，外包綠色絲絹，花葉有的竟是翡翠和紅藍寶石點綴而成，其中更雜有五尺高的完美珊瑚樹。

「手工之巧，連我這個珠寶世家的人也要嘆大開眼界！」齊虹衷心讚美：「出自哪位巧匠之手？」

「中原工匠都做不出來，乃是來自西域的禮品。西方沙漠很難看到綠色，他們喜歡用人造花草點綴篷幕，不過像這樣貴重的卻不多。」郭開得意的說。

齊虹回座，正在爲難，今天這種場面如何談到正題，不如改日再來。只見一名總管模樣的家人，匆忙的走進來，附耳對郭開輕言了幾句，郭開皺着眉頭聽完，坐着對齊虹說：

「剛才是大王使者來過，傳話愚兄今晚進宮，大王要賜宴前方回來的軍使，要我作陪。」郭開語話中掩蓋不住他的得意。

「那我改日再來吧。」齊虹想乘機告辭。

「那怎麼成！賢妹難得來，多年不見，我們應該有番暢談，大王的宴會酉時才會開始……」他還未說完話，那名總管又進來報告，大概又是有什麼人求見。

「今天不見客！」郭開看了看齊虹說：「賢妹，我們另外找地方談！」

5

在郭開專供機密議事的密室裏，室內只有他們兩個人，郭開並不笨，他明白齊虹肯一召即來，一定有事要和他談，而且他也知道什麼時候該擺場面給她看，什麼時候該談論正事。

密室同樣是設備精緻，和他的人一樣，華貴卻帶着俗氣。

「今天我來，半是奉召，半是爲了有點事要和兄長商談。」齊虹在坐下後開門見山的說。

「愚兄人雖長得醜，但心生得玲瓏，否則怎麼會得到大王如此寵信？我知道妳來一定有要事。」郭開笑得很得意。

「我奉秦王命和你商談。」齊虹熟知郭開的個性，她不直接點破，他不知又會拖到什麼時候。

果然，郭開嚇得全身一震，他支吾的說道：

「妳剛才不是說和妹婿相處不太好，到邯鄲來是散散心麼？」

「和夫婿處不好來散心是眞的，奉秦王命來談事也不假。」齊虹嬌笑的說。

不知爲什麼，從小到大，郭開只要看到她這種嬌笑，就會看得發呆、喪魂落魄。好久他才定過神來，奸笑着說：

「趙秦現處於交戰狀態，我身爲趙國大臣，妳不怕我將妳抓起來？」

「你不敢，」她仍然保持微笑：「你也捨不得！」

「嗯，不是不敢，是捨不得。」他的眼神中混合著愛和慾。

「捨不得也是不敢，」她糾正他說：「別忘了你拿了秦王多少好處！」

「好處，嗯，好處。」郭開有點不安：「說吧！這次秦王找我有什麼事？」

「除掉李牧！」

「像上次那樣調開他？」

「上次調開，這次不又來了？想辦法斬草除根的殺掉他！」

「事情太難，恐怕辦不到。」郭開習慣性的抓頭。

他抓頭的動作使她不禁回憶到兒時。郭開小時是癩痢頭，癢起來就拚命抓，總是抓得頭上膿血淋漓，說有多噁心就有多噁心。但偏偏老是喜歡纏着她，時時跟在她後面。

「以你在趙王面前的寵信，這件事並不是辦不到，而是看你肯不肯盡力。」她是在奉承他，一半說的也是眞話。

得到自己心儀已久的女人稱讚，在男人來說是最值得驕傲的事，郭開心癢難抓，只得又抓頭。

「頭上還長得有東西？」齊虹裝得關心的問。

「哦，沒有，沒有，」郭開笑得像兒時般尷尬：「早就好了，早就好了！」

「怎麼樣？」她又追問。

「嗯……」他沉吟着：「趙人視他爲神明，趙王待他如擎天棟樑，短期間動不了他。而且前次告他私自征稅，稅收不繳國庫，這次他出馬是趙王答應他，戰區內的稅由他統籌統收，全撥作軍費和民政補貼之用。趙王也派人查過，李牧的確廉潔，身無餘錢，家無私產，連七十多歲的老母都由經商的長兄在奉養，他本身妻子早亡，沒留下兒女，他也未再娶，像這種毫無牽掛、又臭又硬的傢伙，實在是個蒼蠅都無縫可鑽的鐵蛋！」

「那小妹只有回咸陽了，兄長都沒有辦法，別人想必更沒有辦法了，小妹現在告辭。」齊虹作勢行禮要走。

「慢着，慢着，」郭開連忙阻止她：「再難的事總是有辦法可想的，賢妹先回座，從長計議！」

她坐下來，兩眼注視著他，等他說話。

「秦王給我什麼好處？」他認眞的說。

「只要事成，隨君開價！」

「財物我已不感興趣，目前我已夠多。」

「亡趙以後裂土封你，官位必在你如今之上。」

「那是以後的事，再說裂土而封，只是說說罷了，秦國本身將軍建功，如今都不封了。」

「亡趙後保證你和你家族、門人，以及一切與你有關的人之生命財產安全。」

「這是不花錢的保證，」郭開譏諷的哈哈大笑：「趙國只要有李牧在，秦滅不了趙，再過幾年，秦只怕會被趙所滅。」

「你這話是什麼意思？李牧手上還另有法寶？」齊虹大吃一驚的問。

「不告訴妳，事關國家機密。」郭開半眞半假的說。

「那多談無益，小妹只有告辭了。」

「等等，等等，」他急忙阻止：「老實告訴妳也沒有關係，李牧正計劃訓練一批職業武士作爲統軍骨幹，三年以後趙國軍隊的戰力，要教天下人刮目相看！」

「別扯這樣遠了！說說你的條件。」齊虹聽了他的話，心裏又矛盾起來——李牧是良將，她這樣陷害他，日後良心如何得安？

「第一，給我時間！」

「多少時間？」

「很難說，至少三年。」郭開比了比手指頭。

「至少三年？爲李牧訓練出一批人亡秦國？」

「短期間實在沒有辦法，要想徹底除掉他，只有讓他意圖謀反，這要慢慢蒐集證據——也許說製造證據比較恰當些——慢慢在趙王跟前進言，才能有效，否則趙王懷疑到我，結果適得其反。」郭開不慌不忙，一副老謀深算的樣子。

「越快越好，最多三年。」齊虹想到秦王政說在韓魏有事，多耽擱一點時間應該沒有關係：「還有第二呢？」

「賢妹住進我府中來，遇事也好就近商量。」郭開色瞇瞇的說：「而且事成以後要答應我……」

「這不可能的。」齊虹一口回絕。

「那我們就沒有什麼可說的了。」他的態度突然變得強硬。

齊虹懷疑的看着他，這不像他平日死纏活賴的作風，她想翻臉，但一想想除去李牧，也只有他幫得上忙，她只好委婉的說：

「我住在姑媽家還不是一樣。」

「那才不一樣呢！」他笑着說，小時候賊頭賊腦的樣子又出現了：「住我這裏，我天天可以看到賢妹，辦起事來會快些，否則我事多，說不定就忘記了。」

她再一想，住在她姑媽那裏太久，是會引人起疑；住到他這裏來，只要自己留意，他也不敢怎樣，身邊卻聽到他又在說：

「我不敢冒犯賢妹的，我會收拾一個別院安頓妳，妳可以帶自己的傭人婢女來，三年的時間說長不長，說短也不短，住得舒服一點比較好。但事成以後，妳得……」

「好，我答應，同時也感謝你的操心，」她勉強微笑說：「但我不希望待這樣久，你要儘快，還有什麼條件？」

「沒有了。」

「眞的沒有了？」

「當然秦王答應我的那些條件，還是要保留的。」他賊嘻嘻的笑着說。

接着他們交換了一些消息，討論了行事細節。

齊虹留下吃了晚飯才回，約定第二天就搬進郭開府中。

6

在這段時間，秦王政並未閑着。

得到蒙武轉報的趙國情報後，對等待三年的時間，他一開始也是不耐煩。他命楊端和與王翦兩面發動攻擊，全遭到李牧巧妙的擊退，而且用的都是極弱勢的兵力。

秦軍想找趙軍主力會戰，就是難以找到，一個不留神，李牧的部隊卻突然集中，殲滅了秦軍的小部隊。他用起兵來眞如《孫武兵法》上所言——如常山之蛇，擊首則尾至，擊其尾則首至，擊身則首尾俱至。

趙軍騎兵更是飄忽，急速無定，防不勝防，連最善用敵後突擊戰術的李信也大感頭痛。李信如今已是王翦麾下的騎兵都尉，率領三萬輕重騎兵，但遇到李牧神出鬼沒的騎兵運用，他也是一籌莫展。

這些和趙軍接戰多年的秦軍老將，也全都奇怪起來，原來怯懦、行動緩慢、動不動就整批投降的趙軍，在李牧的指揮下竟脫胎換骨的完全變了！不但個個驍勇善戰，而且都寧死不降了。

更可怕的是，李牧將邊境上的農民都組織起來，每隔段距離就設置一座烽火台，事先規定好的信號不但能報告有敵入侵，而且連敵軍的兵種和兵力，都能以烽火的種類和數目報告得清楚確實。只要秦軍有任何行動，李牧就能很快發現敵蹤。

秦軍只要一進入趙境，就像進入泥淖一樣，隨時會遭到民兵的攻擊，其中甚至有很多老人、兒童和婦女，水源遭放毒更是常有的事。以前秦軍喜歡到趙境作戰，因爲趙國民間普遍較富裕，攻佔以後可以飽掠一番，如今進入趙境，隨時有遭到襲擊和中毒的可能，秦軍人人視趙境爲鬼域。

連次遭到挫折的結果，秦王政只有下令停止攻擊，耐心等待齊虹的成果——除掉李牧。但他並沒完全閒着。

十六年九月，秦發兵接收韓南陽地區，將這個地區改成諸縣，正式成爲秦國的一部份，男子全編成年籍册，抽丁至秦軍服役。

十六年十月，魏王在秦軍的壓迫下獻出雍地，秦置爲驪邑。

十七年，內史韓騰攻韓，俘虜韓王安，整個滅了韓國，將所有領土收爲潁川郡。

這一年秦國內部也發生了幾件大事——

首先是關中地區大地震，百姓傷亡甚重，財產損失無法計算。

接下來是令秦國朝野上下都敬愛的華陽太后去世，當然最傷心的是王太后，她們平日處就跟母女一樣，沒有華陽太后的提攜，她和秦王政就沒有今天。

但華陽太后的死，秦王政卻沒有太大的傷悲，他的注意全被國事所吸引。

他按照祖制讓華陽太后的遺體和孝文王合葬，原先築陵的時候，早就爲他們預留了那個位置。葬禮之盛大，各國派代表哀悼，更是不在話下，尤其是韓王安還爲她披麻帶孝，行孫輩禮，被俘君王命運如此，也無話可說了。

接着是更大的災害，秦國全境都遭到蝗蟲的襲擊，很多地區剛要成熟的麥子全被啃食一空。蝗蟲來時，烏雲似的遮蔽天日，啃食莊稼草木的聲音有如萬千架織布機，但在轉移目標飛走時，整個大地就沒有留下一點綠色，莊稼草葉全都一掃而空。

今年的饑荒是鬧定了！

不過，他和王后並不是完全沒有喜事，十二月他們生了個兒子，取名為胡亥。

當然最痛苦的還是蒙武。齊虹為了工作，不得不進入狼窩，時時與垂涎她已久的色狼為伴，而且時時有謠言傳來，齊虹和郭開常常成雙作對的出入，參加各種宴會。由於郭開沒有正室，要是招待宗室顯貴夫婦同時參加的宴會，齊虹還代行女主人的角色。

不過，唯一使他安慰的是，他們之間書信往來還是不斷，除了情報資料以外，齊虹和他也以詩來表示對對方的思念。

他在今年春天，就曾寫了這樣一首詩給她——

渭上冰解，
陌間花開，
千思百問，
卿何時歸？

所得到她的答覆是——

子規夜啼，
日日思歸，
雪山阻隔，
君且勿催！

這樣看來，李牧不除，她眞的沒有歸期了。
他和秦王政一樣，焦急的等着事情的發生，不過秦王政是爲了征服，他卻是爲了愛情。
十七年年底，他們等待的事終於發生了。

7

宮外下着大雪，室內未生火，寒冷的程度比室外好不了多少。
修長儒雅的李牧，全身甲胄危坐在正中席案上，他的一雙臥蠶眉緊皺，單鳳眼微閉，陷入了沉思。他剛接到趙王的詔命，召他和副將司馬尚回朝任職，將軍和副將職務由趙葱及顏聚接替，人已在途中，先命李牧準備交接事宜。

左側席案上坐的是副將司馬尚，他容顏蒼老，頭髮花白，中等身材，乃是位身經百戰的老將，曾參加過長平之役。他此時也是神色倉惶，拿不定主意的樣子。

在側坐的則是一名年輕裨將，乃趙名將廉頗的兒子廉越，他生得一張國字臉，隆鼻海口，如今是滿臉充滿憤慨。

「數年經營，廢於一旦。」李牧撫摸着三綹清鬚，長長的嘆了一口氣。

「末將早對將軍建議過，要提防郭開這個小人，必要時也可用點錢財敷衍一下。」司馬尚哭喪着臉說。

「現在說這些已沒有用了，司馬將軍，郭開富可敵國，我們怎樣送，也滿足不了他，」李牧笑着安慰他說：「再說我們徵收的都是民脂民膏，用在國防抗秦上是應該的，怎麼可以用來塡郭開那人永遠塡不滿的貪婪之洞！」

廉越接着聲如洪鐘的說：

「將在外，君命有所不受，郭開誣告我們造反，我們就眞的反了吧！相信全軍士卒和戰區百姓都會擁戴將軍的！」

「那怎麼可以？這豈不是弄假成眞，反而給郭開誣中了嗎？」李牧搖搖頭。

「這些年來，將軍一直表現忠誠，爲什麼主上還是會聽信郭開那個小人的讒言？」司馬尙沮喪的說。

「莫提那個昏君了，整日醉生夢死，聲色犬馬，狂歡徹夜，什麼時候來過戰區，看看士卒和民間的勞累疾苦！」廉越氣憤塡膺的吼着說。

「廉越，不要這樣說主上，」李牧苦笑了笑：「所謂簷水日滴，階石爲穿，屋簷滴下的雨水雖然無力，但天長日久，階石仍然會滴成孔洞，何況郭開日夜都陪侍主上，進讒言的機會太多了，主上怎麼能不信？再加上那位趙悅老先生，不知爲什麼幫我的倒忙，發動邯鄲市井人物、戰區百姓爲我請願，說我功勞太大，武安君已不夠，應該封侯列土，增食邑爲二十萬戶！」

「趙悅到底是好意還是惡意？」司馬尙問。

「管他是好意還是惡意，總之害慘了我們！」廉越粗聲粗氣的揷口。

「商人無祖國，利之所在就是他們的安身立命之所；市井豪俠更是無祖國，只要能生存，隨處都是依附寄生的地方。趙悅是秦王政的養外祖父，他想將他的地下勢力滲透天下。有這兩個原因，當然他會幫秦國的忙。」

「我曾建議將軍注意來自秦國的那個女間。」司馬尙嘆口氣說：「將軍總認爲自己行事光明磊落，不怕一切妖魔鬼怪，想不到還是栽在她和郭開手上。」

「我不是沒有注意，」李牧帶點歉意的對司馬尙說：「只是無法抵抗。每次我回朝述職，我都會暗示明告的提醒主上，衆口鑠金，曾母雖賢，連聞三次曾參殺人，也會棄織奪窗而逃。何況主上對臣之知，不如曾母知子之深，而會進讒的絕不止三人，也不會止於三次。」

「結果仍然如此！」司馬尙搖頭。

「將軍準備如何做？」廉越問：「趙葱和顏聚幾天內就會抵達。」

「傳令下去各軍準備交接沒有？」李牧問廉越。

「今天上午已傳令下去了，」廉越回答：「只是軍心似乎有點不穩。」

「主帥交替，士卒情緒浮動，這也是人之常情，」李牧笑着說：「我以前在邊塞守關，遭讒調開，最後還不是復起？前次封武安君調右丞相，也是明升暗降，奪我兵權，但到秦軍入侵時，不是還要用到我嗎？」

「這次可不一樣，」廉越說：「據末將得到的消息，趙開想置將軍於死地，兵權一交出就會收押，罪名就是謀反！」

「我李牧十六歲以良家子從軍，身經百戰，受輕重傷不下二十次，如今行年五十有一，老母年前去世，孑然一身，家無恒產，身無長物，我造反是爲了誰？」李牧大笑，笑聲充滿淒涼。

室內三人皆無話可說，陷入沉默。

突然中軍來報：

「全軍旅尉以上領軍二百餘人，正在中庭等候接見。」

「也好，省得我一一前往辭行。」李牧皺皺眉頭說。

8

天下着鵝毛大雪，地爲厚厚的冰雪所積封，番吾城整個是白茫茫一片。

兩百多位李牧軍將領，身披重甲，全跪倒在中庭雪地上，每人口鼻所吐出的熱氣，和天上飄着的雪花相映。他們全都沉默不語，臉上充滿了憤恨和堅決。

李牧剛踏進中庭，這些人突然發聲，就像迅雷一樣驚人。他們異口同聲的說：

「請將軍不要中計，繼續領導我們！」

「各位弟兄請起，軍中換將乃是常事，爲何要看得如此嚴重？」李牧勉強擠出微笑：「只要抗秦保國，誰當主將來領導各位，不都是一樣？」

經李牧這一說，眾人群中嘈雜起來。

「將軍忠心耿耿卻屢次遭讒，這次不能再上當了！」有人大聲吼着。

「說我們謀反，我們就眞的造反，殺進邯鄲，砍下郭開那個奸賊的狗頭！」也有人高聲喊叫。

「將軍不要上當！」更多的人齊聲高呼。

「昏君奸賊不害死你絕不罷休！」有人帶着哭聲說：「斷送你自己不打緊，趙國還要靠何人？」

「將軍繼續領導我們！不要接受亂命！」衆人幾乎是同口一聲。

李牧做手勢要大家靜下來，他用充滿感情的語氣說：

「各位同生死共患難的弟兄，李牧知道各位是愛護我，但我們要是眞的抗命，豈不是正中了奸人的陰謀？我李牧行事一直磊落，丹心更可坦對天日，各位不要爲了一時衝動，使全軍蒙羞，也爲李牧帶來平生的污點！」

這時人群中有人站起，李牧一看，正是騎卒都尉趙敢，他是宗室，算起來還是趙王遷同高祖的旁支哥哥。年齡三十不到，長得龍眉鳳眼，一看就發現得到他的王室血統。

將趙國邊區變成秦軍泥淖，十之八九都是他的功勞，他不但英勇，而且足智多謀，乃是李牧軍將領中的人望領袖。他此時侃侃而談。

「將軍聽從趙王亂命，不是利國而是誤國，不是愛君而是害君！」

「趙都尉此話怎講？」李牧故作不解的問。

「郭開一直想置將軍於死地，這是眾所周知的事，將軍遇害，誰來領導趙國抗秦？沒有將軍，秦亡趙有如囊中取物，這些年來的戰役都已證明這件事實。國家一破，趙王降爲臣虜，求生不得，求死不能，這不是將軍害了他麼？」

「依你之見呢？」李牧問。

「依末將之見，不造反，也拒絕交出兵權，趙國三分之二的精銳部隊在此，趙王無力討伐，戰區軍民一向自給自足，並不需要國庫經費，我們就這樣抗秦下去，趙王總有清醒的一天。」

「這個主意最好！」二百餘名威猛武將齊聲大吼，聲徹雲霄，堂前避寒的鳥雀盡皆驚起，振翅欲飛，喳喳叫個不停。

等得眾人喊聲停歇後，李牧突然臥蠶眉緊皺，向身後中軍喝道：

「趙敢出言狂妄，擾亂軍心，拿下交軍正議處！」

幾名中軍圍上來抓人，趙敢微笑着伸出雙臂，自動就縛，口中還帶着哽咽的說：

「末將死不足惜，只望將軍以國爲念，珍惜自己這根趙國唯一的棟樑！」

「事不只關趙都尉一人，我們都願接受軍法從事。」跪在雪地的諸將同聲齊喊，互相伸手綑綁起來。

李牧正皺著眉頭思考該如何找台階下時，門軍領班又慌慌張張的跑了進來，跪在地上氣喘喘的說：

「將軍，大事不好！」

「什麼事這樣慌張？」李牧心底一震。

「好多的百姓都跪在大門前，要求見將軍！」

「唉！」李牧長長嘆了口氣，轉頭苦笑對司馬尙說：「眞是一波未平，一波又起，司馬將軍，我們出去看看。」

將軍府門前寬廣的大校場上，白皚皚的雪地上跪滿黑壓壓的人群，男女老幼都有，有的婦女還背負嬰兒，手上牽著幼兒。他們全都捧著香案，點燃蠟燭，口中喃喃祈禱，一見李牧出來，全都高聲叫喊：

「李將軍不要丟棄我們不管！」

李牧再往左右一看，目光所及的大街和巷口全都是跪在雪地、手捧香案的民眾，他忍不住心中一陣酸楚。

趙國邊境百姓幾百年來都苦，先是韓、魏、趙互攻，邊境一直是戰場，近百年來秦孝公崛起，入侵中原，趙國是主要目標，這些邊區城市也就成為主要戰場，毀滅掉又在廢墟上重建，沒多久又遭到毀滅，百姓很難過到一天眞正太平無事的日子。

這幾年來全靠李牧坐鎮，韓魏不敢窺覷不說，連秦軍試了幾次後，如今也不敢越雷池一步。百姓都知道，目前太平豐裕的生活全是李牧所賜，李牧一走，又會恢復到以前的朝不知夕、日夜擔心受怕的日子。

「我能這樣丟棄他們不管嗎？」李牧此時在心中自問：「只為忠於那個因為娼女、本身又只會鬥雞走狗、吹彈拉唱的趙王？管他的，為了這些可憐的百姓，管別人要怎麼說，管歷史會怎樣寫，千秋萬世名，寂寞身後事，管不了這許多了！趙敢的話也許可行，我不公然言反，但也不交出兵權，趙王應該有清醒的一天。」

一下決心，他反而變得舒坦自在起來。他要中軍們奔走於百姓叢中傳話，李將軍絕不走，要與整個戰區鄉親父老共生死。

聽了中軍的傳話，百姓同聲歡呼，心滿意足的逐漸散去。

回到中庭，只見那領軍校尉仍然自綁著跪在雪地上，趙敢兩手反綁跪在眾人前面。

李牧不發一言的解掉趙敢的綑綁，同時平靜的對眾人說：

「李牧願留在這裡與各位共生死！」

眾人聞言，全都從地上跳起高呼萬歲，紛紛互相解綁。

李牧宣佈了三項原則——

第一、不言反，只是不交出兵權。

第二、不勉強，不願跟隨者自動離去。

第三、不讓部眾有後顧之憂，父子同在軍者，父歸；兄弟同在軍者，兄歸；獨子及新婚不滿一年者，歸家。

最後一項李牧特別說明，既然下定決心，那些家住戰區外的士卒，恐怕要花費時日等待趙王清醒，很長一段時間有家歸不得了。

9

齊虹清醒過來，發覺自己睡在一間佈置華麗室內的牀上。她搖了搖仍然有點發暈的頭，很久想不起自己剛才做了些什麼？怎麼會睡到這裡來的？

她中了郭開的道？她檢視一下自己，衣衫仍然是整齊的，身上也沒有什麼異樣，她暫時放了心。

她第一個衝動是想喊人來問到底是怎麼回事，再一想，還是先冷靜一下，想清楚事情的來龍去脈再作打算。

她在茶壺裡倒了一杯茶，喝下去後神智清醒多了。她才想起剛才是和郭開一起用餐，三年了，他們在一起用餐的時間很多，郭開也一直尊重她，所以她逐漸對他失去了戒心。

她想起郭開哭喪著臉對她說：

「三年來的努力，再加上趙悅在外面的配合，總算主上相信李牧會反，派趙葱去取代，想不到李牧眞的反了，拒不交出兵權。」

「這樣一來，不正好證實你的話不假，趙王以後會對你更信任，李牧既然公然反抗，你們就沒有法子治他了麼？」她笑著說。

她這一笑不打緊，郭開又看呆了。她拍拍席案，他才驚醒過來說：

「全國三分之一最精良的軍隊都在他手上，而且又是全軍逼他反的，誰拿他有辦法？何況他不言反，只是不交兵權。」

「好了，你的事算是辦成功，其餘讓我自己來想辦法！」

「那妳答應我的事怎麼啦？」郭開色眉色眼的笑著問。

「秦王那方面的承諾當然算數。」

「我是說賢妹自己的承諾。」

「我承諾了什麼？」她眞的想不起對他有什麼承諾。

「賢妹答應事成以後……」他說不出口。

「事成以後我當然回咸陽，」她正色說：「何況你們事情只做了一半，下面還是得我自己來！」

「哦，喝茶，喝茶。」他要侍女送上兩杯茶來。

難道說，毛病就出在她喝的那杯茶上？

她想起來了，一定是！因爲她再想不起喝茶以後的事。看樣子，郭開是要幽禁她，不讓她走了。

她不禁有點煩躁起來，她被幽禁不要緊，蒙武得不到她的消息不是會急死？

再說，趙王拿李牧沒辦法，只有靠她自己孤注一擲，採取最後不得已的手段──行刺，早知道這樣，何必要繞這大的圈子白等三年？當然那不可靠，遠不如藉趙王之手殺他。

她在室內轉了一會，漸漸冷靜下來。她告訴自己，首先她要將郭開應付好，她才能出得這裡，否則一切免談了，不過，對郭開她應該是有把握的。

想定以後，她輕輕敲了敲房門，沒聽到人應門，卻聽到有人跑開的聲音。過沒一會，果然郭開笑瞇瞇的開門進來，親切體貼的問：

「賢妹睡醒了？剛才妳忽然不勝酒力，就伏在席案上睡著了，我要侍女扶妳進來的。」

郭開眞是說慣了謊，說起謊來臉上不紅，氣也不喘。

「多謝兄長了，」她媚笑著說：「這裡不知是哪裡？」

郭開又發呆了，他結結巴巴的說：

「不是哪裡，還是在我府中啊！」

她放下心來，心一橫的想——三年來相處，雖然看你仍然不順眼，但多少改變了對你的觀感，不然不會單獨和你用餐還飲酒。如今你既然不仁，也就莫怪我無義，你狼子野心畢露，我對你也是無可再利用，本來想好來好散，我辦完事回咸陽，秦王的承諾照樣實現，既然你這樣……

她心裡動了殺機，臉上神情卻顯得更媚，她嬌聲說：

「大哥，我想起來了！」

「想起什麼？」郭開高興的問。

「我和蒙武性情不合，到邯鄲本來就不想回去，如今任務未達成，更是不敢回去了。」

「長住邯鄲不是很好嗎？李牧雖不交兵權，還是在爲我們守大門，秦軍踏不進趙境一步，邯鄲安全得很。」

「長住府中，身份不明，我算什麼？」她裝得哀怨的說。

「我的夫人，這多年來我都空著這個位子在等妳！」郭開眞的語帶深情說：「難道說妳一點都不明白我的苦心？」

「好了，」她安撫他說：「不知道你的苦心就不住進你府中來了。」

「妳是答應嫁給我了？」他興奮得跳起來靠近她。

「嗯。」她點點頭，裝著害羞低下臉。

他將她一把抱進懷中要吻，她感到噁心想吐，卻也雙手圍緊他的頸子，右手拉住他的後領，只一轉動，郭開全身軟綿綿的躺進她的懷裡。

她用的是間諜最巧妙的手法：抓緊衣領，大姆指關節一壓喉節，對方哼都不會哼一聲就氣絕身亡。

她將他放到床上用絲被蓋好，臉向裡面，就像睡著了一樣。

她整理了一下衣服和頭髮，敲敲房門，一名侍女應聲進來，看著睡在床上的郭開，臉上現出曖昧的神色。

「郭大夫累了，不要任何人驚動他，妳先出去。」她和言悅色的交代侍女。

侍女聽到「累了」這兩個字，會意的笑了。

侍女退出後，她熄了燈，帶上房門，順著迴廊走出院子，原來這裡就在她住的別院隔壁，只要通過一道月門。

她不慌不忙的整理好一包隨身衣服，帶了一些碎金子，在馬廄找到自己的愛騎——五花馬，跨上馬絕塵而去。

在馳出邯鄲城時，她忍不住在心中默念：

「李牧，我來取你的人頭了，先為你殺了郭開，也算是向你表示我部份的歉意！」

10

她使用夜行術，很輕易的進入番吾李牧將軍府，制伏一名警衛，問出李牧的居處，毫不困難就找到李牧的書房。

她穿著一套黑色夜行衣，臉蒙黑巾，只露出兩隻大眼睛，她來去如風，行動快若閃電，行走屋頂，輕柔有如狸貓。她先巡走一圈，將院內幾個守衛放倒，忍不住嘆息著，為什麼武將的警衛都是如此疏忽？尤其是像李牧這種自認得軍心，受民眾愛戴的武將，總認為警衛森嚴乃是件丟臉的事。但害人之心不可有，防人之心卻不可無，他不知道趙王和郭開隨時都想算計他嗎？

這點她將來要向蒙武提出警告。

她用倒掛金鉤姿勢，伸頭看到書房裡。只見李牧身著便服，埋首軍書和公文中，他手執朱筆不斷批閱，偶爾還抬頭嘆口氣。

她正想由窗口跳進去，卻看到李牧擲筆長嘆，站起來走向窗前。她當是李牧已發現到，連忙縮回頭，只聽到李牧嘆口氣說：

「知我者知我心憂，不知者謂我何求，半生戎馬，孑然一身，但朝中那些故友似乎並不諒解我。仇人愚者的謾罵容易忍受，知交的誤會令人傷感。」

接著又聽他似乎是在仰首問天：

「天哪！天哪！我這樣做到底是對還是錯？」

說完他轉身向几案走去，齊虹一個靈狸穿窗落進室內，等李牧警覺拔劍轉身時，齊虹的劍已橫在他的頸上。李牧毫無恐懼之色，只注視著她，微笑的問：

「趙王派來的？」

齊虹搖搖頭。

「郭開派來的？」

她還是搖頭。

「那就奇怪了，除了他們以外，還有誰想殺我？」李牧充滿自信的說。

齊虹想不到英明睿智，用兵如神的李牧也會說出這種蠢話，她忍不住噗哧笑了出來。

「妳是女的？」聽到她的笑聲，他皺緊眉頭：「告訴我，誰派妳來的？」

「你只顧注意趙王和郭開，卻忘了你的頭號敵人秦王！」她笑著說。

「妳怎麼進來的？」他不解的問。

「行高樓有如平地，」她仍然微笑：「現在是三軍中取上將首級！」

「眞想不到李牧縱橫疆場一世，卻死於女子之手。」李牧是嘆息也是輕視。

「將軍不需如此拖延時間，周遭警衛全被小女子解決了，就是有人來也救不了你，」看到李牧臉帶輕視和委屈，她忍不住豪氣大發：「這樣好了，我讓你拔劍，你勝了我，我死你不必死！」

齊虹見李牧如此忠義，實在殺不下手，想給他最後一次賭的機會，也是要讓他在女子手下死得甘心。

李牧不解的看著她，搖搖頭說：

「妳不像刺客，倒像小兒女在玩遊戲，好，我就試試運氣！」

他後退拔劍，姿勢非常美妙，但只是軍中普通招式，他一進擊，齊虹短劍一絞動，劍就脫手掉在地上。

「再來，讓你刺三劍！」她笑著說。

「不必了，一劍脫手，三劍仍然是脫手，我們的劍技相差太遠！」李牧又再仰天長嘆一聲。

「將軍仍然死得不甘心嗎？」齊虹的短劍仍然架在他前頸上，稍一劃動就可割斷喉管。

「大將不應死在敵手，這對爲將者是莫大恥辱！」李牧臨死大將風度仍在，他從容的說。

「好吧，小女子讓你自裁。」她拾起地上的佩劍交給他。

李牧接劍回到書案前，解開頭上髮髻，以髮覆面。

「將軍這是做什麼？」齊虹不解驚問。

「無顏見祖宗於地下！」

「將軍還有遺言否？」

「李牧身負叛國罪名，卻死於敵國女子之手，這是莫大的諷刺，內外皆不見容，夫復何言！」李牧微笑。

他這種從容就死、毫不留戀牽掛的瀟灑，使得齊虹一陣激動，她俯伏行禮說：

「齊虹恭送將軍，有一事可以告慰將軍的，就是齊虹來此以前已經先殺了郭開。」

「李牧一死，郭開在不在對趙國都沒有什麼影響了，」李牧嘆口氣說：「我死後妳一定會取首級報秦王……」

他底下話沒說完，齊虹已明白他的意思，她緊接著說：

「假若將軍想全屍……」

「人死如燈滅，全屍和挫骨揚灰有什麼兩樣？」李牧舉劍橫置喉頭：「妳拿去好交差！」

「齊虹恭送將軍！」齊虹再度俯伏行禮：「我會禮敬將軍頭顱，不准任何人褻瀆。」

李牧一用力，劍割斷喉管，鮮血噴濕了書案，屍體緩緩倒了下去。

齊虹驚奇的發現到，在割取李牧首級時，她竟然兩手顫抖，淚流滿面。

11

李牧死後三月，秦大興兵，王翦率軍十五萬，攻上地，下井陘，直取東陽；楊端和率河內軍廿萬陷番吾，進圍邯鄲；羌瘣率輕裝步騎五萬追擊潰敗趙軍，並組織佔領區地方政權。

李牧一死，趙軍已失去鬥志，又恢復以前一戰即走，未見勝負就大批投降的老樣子。

秦王政十九年，王翦、羌瘣平定東陽地區，楊端和攻破邯鄲，先擒趙王，遷居房陵。趙公子嘉率宗族數百人逃亡代地，自稱代王，收容殘兵敗將，也得到十萬之眾，東與燕國合軍，列陣易水之西，和屯兵中山的秦軍相對峙。

趙代地大饑荒。

秦王政征服中原、君臨邯鄲的宿願終於得償。

但他忘不了兒時所受的那些侮辱，他要藉到邯鄲勞軍的機會報這些仇。

行前他曾去看過中隱老人，報告亡趙的喜訊，但老人卻面帶憂色的告訴他：

「成功太快，繃得過緊，應該注意在趙地籠絡人心，儘量起用當地人，這樣才能使趙地安定下來，減少將來伐燕定齊的後顧之憂。」

秦王政當然恭謹奉命，在公的方面如此，私仇卻必須要報，他自命是一個恩怨分明的人。

這次滅趙，齊虹的功勞最大，秦王政問她要什麼獎賞，齊虹說功勞最大的應該是蒙武，假若沒有他的信任和支持，她根本不會有這大的耐心和勇氣。

秦王政笑著問蒙武要什麼，蒙武什麼都不要，只要能與齊虹長相伴，彌補她這三年所受的離別之苦和周旋敵人之間的委屈。

秦王當然沒有理由不答應。

齊虹自殺了李牧後，良心始終不安，她半開玩笑的告訴蒙武，要不是想到他還在等著她，李牧自刎的那刹那間，她眞想跟著自刎，以謝李牧和趙國！

蒙武緊擁著她，用一些老話安慰她，他說：

「我們這樣做不是爲了秦國，而是爲了消弭天下的戰禍，讓普天下百姓享受永久和平。」他答應她，一旦天下統一，他們就會歸隱，在渭水畔找一塊土地耕種，男耕女織，垂釣渭上，絕不再過問政事。

「我不會織布怎麼辦？」她依偎在他懷裡撒嬌。

「那就多幫我生幾個孩子，免得妳無事可做，又拿刀弄劍的，簡直不像個女人！」

12

秦王政進入邯鄲城，舉行了一項極盛大的獻俘和入城式。

邯鄲凡是秦王政要經過的街道全用水沖洗過，然後再鋪上細黃沙，以免車馬經過時塵土飛揚。

秦王政和王后選定他們常攜手同遊的市集爲必經點，行宮則是設在他曾住過的趙悅別院，趙王宮雖然華麗壯偉，但他不想住進亡國之君的宮中。

他只下令，將趙宮最精緻最能代表趙國建築風格的麗宮，整個搬移到咸陽重建，另外趙宮的鐘鼎古器、雕刻和壁畫，也原封不動的搬到咸陽的趙宮裡。

他目前在咸陽宮中有趙、魏、韓、楚、齊和燕等室，未來他要將這些室擴充爲趙、魏、韓、楚、齊和燕宮，整體遷麗宮只是個試驗性質的開始。

王后認爲這種做法要浪費很多的人力和財力，而且不見得能恢復原狀。秦王政坐著告訴她，戰爭消耗的人力和財力更多，趙國有的是貴族地主和軍官俘虜，藉此勞動他們筋骨一下，讓他們也嚐嚐平民兵卒的長途跋涉、日夜勞苦的滋味。至於恢復原狀，這些俘虜中多的是技師和巧匠，只要告訴他們，恢復原狀成功就恢復他們自由，不成功就要他們的頭，他們自己就會想出方法來。

王后滿腹的不高興，但不好說什麼，這是男人的事。

在進城的當天，地方政府發動邯鄲城所有男女老幼都到街上歡迎，眞是萬人空巷，熱鬧非凡。歡迎的民眾中多的是愁眉苦臉、滿腹亡國之恨的人，但也有不少人是眞心歡迎，誰當王都是完糧納稅，今後不必打仗，兵役、傜役、田賦和各種苛捐雜稅一定會少了很多。

秦王政和王后共乘一部六匹黑馬拉的敞篷華蓋車，王后手中還抱著兩歲的小胡亥，他似乎非常懂事，端坐在王后懷裡不動，只用兩隻靈活的大眼睛骨碌碌轉動，左右看熱鬧。

前面開道的是三千虎賁軍，一色的黑盔黑甲，連旗幟都是黑色，上面繡著斗大的「秦」字和白龍彩鳳的王室圖騰。在他們後面是數百名執斧鉞的郎中，他們騎著一色的白馬，身著黃色飾袍。

秦王及王后車後是丞相將軍所乘的副車，再後面又是侍中、郎中和虎賁軍。

趙王遷及丞相、宗室大臣及將軍百餘人，全都穿著白色囚衣，頸上帶著象徵鐵鍊的黑色組索，跪伏在城門口迎接，他們已經跪在那裡近兩個時辰。

按一般慣例，這時勝國君主應下車扶起慰問，以示安撫和自己的寬宏大量。但秦王政卻一眼看到這個浪子君王俊秀臉上所露出的可憐相，火氣就往頭頂上冒，儘管王后捏他的手示意，前面的儀隊也將馬放慢，等著秦王按例而行。

但秦王政只看了御車的趙高一眼，口中說了兩個字：

「速行！」

前導儀隊和整個車隊速度加快，跪在城門口的這些高貴俘虜都不知道下面一步該如何做法。

秦王政皺著眉頭在想：

「桀紂雖然無道，兵敗被圍時還知道舉火自焚，哪有這種貪生怕死、不顧羞恥的國君！」

晚間住下以後，秦王政夫婦爲這件事起了爭吵，這是多年相處來的第一次，也是最後一次。

就寢前，王后埋怨他不照國際禮節慣例行事。

「這樣對他還是容忍的，依我的脾氣，全部斬首算了，也讓秦國文武大臣看看，我最不喜歡的就是這種沒有骨氣的人！」

「老爹臨行交代，戰勝國對戰敗國應該寬大，才能安撫人心。」王后勸戒他說。

「那是安撫一般民眾的心，而不是安撫亡國昏君和這般腐化無能的文武大臣的心，」秦王政笑著說：「妳沒看見歡迎我們的趙國民眾，一個個都是那樣興高采烈，他們是在感謝我幫他們除去這群騎在他們頭上的統治敗類。」

「但願如此，不過趙國人民鬆散自由慣了，一旦驟然將嚴厲的秦法加在他們頭上，恐怕他們會承受不了。」王后又說。

「要嚴開始就嚴，歸秦後一切照秦法待遇，這也表示將趙人視爲秦人，並無偏頗歧視。」秦王搖頭說。

「你眞是雄辯，我總覺得你說的話不對，卻找不到駁你的理由。」王后也跟著他搖頭。

「這就是我超過其他歷代君王之處！」秦王政得意的說。

「這只是勝利的開始，不要太得意忘形，」王后不想再談下去，她想轉變話題：「明天我想不要像今天這樣招搖，而是輕車簡從，重遊一下我們過去曾同遊過的舊地，好嗎？」

「有妳在身邊，舊地是否重遊已經不重要了，明天我還有很多事要辦。」

「什麼事白天辦不完，還要在晚上辦？」

「明天起我就要準備殺人！」秦王政的口氣和臉上都充滿殺氣。

「殺人？邯鄲圍城之戰你殺的人還不夠多嗎？」王后沉痛的說：「你和我都是生在邯鄲，在這裡度過童年，總會有一點感情，一些美好的回憶！」

「有，當然有！」秦王政有點激動的站起來在室內走動：「那就是和老爹與妳在一起的那些日子。但如今妳已在我身邊，老爹也住在咸陽後宮，邯鄲剩下的只有我痛苦的記憶，我恨這裡的虛僞做作，更恨這些侮辱過我和我母親的人！明天開始，我要報復，而且是集體報復！」

王后本來想說，雖然這些人侮辱他和他母親，但都是些不解事的孩子和愛道人長短的婦人，這樣也罪不至於死，何況她們背後議論的大部份是事實。

但她看到他眼神燃燒著的仇恨之火，她驚嚇住了，一個男人的眼神爲什麼如此多變？女人的眼神簡單明瞭，喜、怒、哀、樂，表情都非常明顯，但她整個人還是原來的樣子，美麗的女人不管帶著任何眼神，她還是美麗的，醜的也是如此。但一個男人卻會因眼睛的表情改變整個人的外觀。

秦王政在她眼中如今就是個似不相識的陌生人，充滿仇恨、惡毒，手上沾滿血腥的醜陋陌生人！她還想用自己對他的影響力作最後的努力制止他。她正色的說：

「我跟你來邯鄲是為了尋求舊地重遊的歡娛，我已等待了這麼久。」

「我殺人何嘗不是一種尋求舊地重遊歡娛的方式，我期待這一天比妳期待得更久！」秦王政獰笑著說。

「我明天就帶胡亥回咸陽，我無法眼睜睜看到你亂殺人！」她使出最後的撒手鐧，希望他會軟化。

以往她的這手撒手鐧可說是百試不爽，只要她說要離開他，那怕是留他一個人在南書房，他都會陪小心軟化下來。但出乎她的意料，今天他卻是冷冷的說：

「也好，妳先回咸陽，我還要到中山視察王翦部隊，代地寒冷，又是前方，不適合妳和孩子去。」

「你眞的瘋了！」她忍不住說出目前心中對他的看法。

13

天色已近黃昏，落在地平線上的夕陽紅得像塗上了一層血。

時值初冬，傍晚的西北風吹在臉上，已經有那麼點刺痛，人們心底的感覺是冬天又來了。冬天表示冰封大地、河流，將人關在家裡，將野獸囚在洞穴裡，將象徵生命的綠色從眼中消失。

冬表示沉睡，意味著死亡。

一百多個穿白色囚衣的囚犯，在秦軍的鞭子驅策下，已經挖好一百多個土坑，一人多長，大半人深，站在裡面，正好露出一個頭。

這些人都是前趙國宗室子弟，有的在亡國時正擔任親貴大臣，如今卻是黃土滿臉滿身，雖然上身打著赤膊，背上胸前還滴著大顆的汗珠。

他們挖掘面前這排自己的墳墓，已挖了整整一個下午。他們平日只會彈瑟弄琴、撫摸女人的手，現在都已磨破了皮，一拿著鋤頭和土箕就會有澈心的痛，但身後拿著皮鞭的秦軍並不憐惜他們，只要他們稍停下來，鞭子就抽在背上，一鞭一條血痕，比手磨破更痛。

現在總算挖好了，各人站在各人的坑前面，等候監工的一名秦軍校尉驗收。

挖出的新土堆在坑的四周，顏色特別鮮艷，還帶著濃濃的泥土芳香。

他們眞的已精疲力盡，好想倒在坑裡睡上一覺，就眼前來說，這比躺在任何美麗女人飽實的胸膛更舒適。

他們不知道嬴政爲什麼要玩這種惡作劇。他傳令全國，尋找兒時玩伴，他們自認命好，新來的征服者竟是他們的童年舊識，今後飛黃騰達且不必說，至少他們安全已得到了保障。

他們中間也有人懷疑過，他們小時候曾欺侮過嬴政，他是不是會找他們報復？其他同伴就告訴他，小孩子在一起，誰沒有惡言相向過？誰沒有打過架？他要是記仇，就不會這樣積極找他們了。

於是他們紛紛出來應召，甚至有很多已藏在安全處所的人也出來了，就像躲在洞中的蛇受不了洞外青蛙的香味。

嬴政集合了他們，特別賜宴招待，給他們安排最好的住處，沒事還找他們話舊。

這樣一來，最膽小謹愼的兔子也會鑽出洞來，等到他看看想找的人差不多都找齊了，他一翻臉，全部下邯鄲大牢，再想見他的面都見不到。他們眞不明白他的意思。

直到現在，有些自命樂觀的人還在安慰同伴：

「不會有什麼的！嬴政只是嚇嚇我們，開開玩笑，小時候我們欺侮過他，他要我們坐了幾天牢，又做了半天苦工，挨了這多鞭子，也該補償過來了。」

有的人並不這樣樂觀，他們哭喪著臉，兩腿發抖，並不是因爲冷，雙眼含淚，是因爲恨自己笨！

也有些膽大的人，開始咕噥含糊不清的罵。

驗工校尉檢查了每個人所挖的洞，不夠長的挖長，欠深的加深，最後他總算滿意了，他命這些人穿好上衣，排成一列，各自站在自己所挖的坑前面。他難得的展開笑容說：

「主上等下會來看你們。」

這些人面面相覷，還是不能完全會過意來，嬴政總不會爲了小時候吵罵幾句，就眞的將他們活埋，說什麼他們也是趙國具有相當影響力的人物，他要是這樣做，還想不想治理趙國？想不想籠絡趙國高級階層的人心？

這時，城門方向塵土飛揚，有數十騎和十多部車向這邊疾馳而來。

「一定是嬴政來了，我倒要問問他，這到底是怎麼回事？」一個三十多歲面目英俊的人說，他父親是前趙國丞相。

「別找麻煩了，說說好話，求他饒饒我們。」說話的人是郭開的大姪子，猥瑣的程度可和他叔叔媲美。

果然一馬當先的正是嬴政，他只帶了數十名郎中護衛，他騎在馬上的樣子瀟灑英挺，比他實際年齡還年輕。

他微笑的騎馬繞了土坑一圈，微笑著對這些兒時玩伴說：

「各位辛苦了，你們已嚐到平時爲農、戰時當兵挖土鋤地的苦楚了！」

眾人見到他和言悅色，膽子也就大了起來。

「該饒了我們了吧？有什麼得罪處，這些處罰也該夠了！」有人喊著說。

「大王，你自小愛惡作劇，這次未免太過份了吧？」有人這樣大聲叫。

「唉，牢也坐了，工也做了，還要我們做什麼，就說吧，不要再跟我們猜啞謎了！」也有人嘆息。

「……」

「……」

七嘴八舌，大家搶著說話。

「再有，我是想你們死！」秦王政臉上仍帶著微笑，眼神中卻出現了那天晚上嚇得王后獨自回咸陽的狠毒。

「什麼，你……」這些人幾乎是異口同聲的驚詫。

每人身後不知道什麼時候來了兩名秦軍，一人抓住一條臂膀，扭著向後綑綁起來。

「嬴政，你這個雜種……」

「嬴政，你陰險毒辣……」

「你這個殺父逐母的私生子……」

「……」

很多人絕望得破口大罵，但也有些人早在意料之中，沉默不語。嬴政從小就一臉陰鷙，自己要上當，怪得了誰？還有些人哭鬧著罵自己笨。

拿著鞭子的秦軍紛紛抽打叫罵的人。

「不要打他們，」秦王政依舊不動聲色的說：「臨死前有盡量大罵的權利，但他們要多付點代價。」

他獰笑著下令：

「罵寡人的全部去舌！」

秦軍拔出匕首割舌，緊閉著嘴反抗的，滿嘴牙齒全都敲光，然後全推進了坑裡。

「你們都喜歡女人，沒有她們陪，九泉路上你們會感到寂寞，現在寡人賞給你們每人一個，甚或是兩個，你們應該走得安心。」

秦王一招手，十幾部車中下來一百多個女人，有的年老，有的年輕，但不是走著下來，而是由秦軍兩個抬一個抬下來的。她們頸上還勒著白絹，舌頭微微伸出，這些都是當面侮辱、背後造謠、曾給過他母親莫大精神痛苦的女人。

這些死女人每個坑丟下一個，正好覆蓋在這些活男人的身上，丟不完，一個坑中丟兩個。

「塡土！」趙高代表秦王政下令。

很快坑變成了新墳，一堆堆排得如此整齊。

遠處暮靄四合，成群的寒鴉噪叫著由天空飛過。

第17章

荊軻刺秦

1

在燕國都城薊城王宮裡。

燕太子丹正與師傅鞠武在書房談話。

燕太子生得修長身材，面白未留鬚，懸膽鼻，單鳳眼，唇若塗丹，雖然已年近卅，但猛然看上去，仍然是個儻美少年。

鞠武則面如滿月，留有五綹濃鬚，身材中等，滿面忠誠像。

太子丹此時神情複雜，在談話中時而拍案，意氣激昂，時而俯首嘆息，神情沮喪。

「我眞弄不懂，爲什麼秦國軍隊看起來那麼笨拙，武器裝備也不如趙燕，一旦接戰，趙軍總是如冰向火，不燃自化，聞風而逃？」

「太子昨日上谷閱兵回來可見到什麼？爲何有這樣大的感慨？」鞠武慈祥的問，他從小看太子丹長大，知道他容易激動的個性。

「我前幾天詳細的檢閱了燕代聯軍，點驗了他們的武器裝備，看過他們的個人技藝及各種佈陣，總覺得在這些方面我們不比秦軍差，爲什麼趙國五十萬大軍，沒有幾個月就全部潰散？而攻趙的秦軍只不過卅萬人！」

「兵貴精而不貴多，同時，能戰與否在將而不在兵，所謂猛虎率群羊，群羊變猛虎；羊率群虎，虎亦都變成羊了。太子不記得李牧以五萬精兵擊潰秦軍廿萬，用的也是趙國軍隊！」

「燕國無將才，這也是我平日常擔憂的事，不說沒有像李牧這種良將，就連王賁、李信這種猛將都找不到，難道說天注定要亡燕？」太子丹雙手握拳，仰天長嘆。

他接著又雙拳擊案，憤慨的說：

「難道說，我在咸陽所受的那多羞辱就不能報了？」

「太子，聽老臣一言。」鞠武誠懇的說。

「老師請講。」太子丹恭謹的說，亦自覺失態而平靜下來。

「秦國將強兵精，原本就北有甘泉、谷口之固，南有涇、渭肥沃的土地，更兼有巴蜀、漢中的豐富資源，現在又擁有韓魏大部份的土地和兵源，再挾滅趙餘威，燕國的確是抵擋不了的。你何必為了點孩子氣的私怨，去招惹這條孽龍？」

燕太子丹正想回話，突然近侍來報，秦將樊於期在宮前求見。太子丹連忙對鞠武說：

「老師，你不要走，待我迎接樊於期進來共商抗秦事宜。」他那邊向近侍說：「帶路，孤親自去接。」

不一會，太子丹和樊於期手牽手的走進來。太子丹為鞠武介紹樊於期：

「老師，這是我質秦時結交的好友，秦將軍樊於期。」

樊於期行禮，在賓位上坐下。

鞠武打量了他一下，只見他身材魁梧，虎背熊腰，獅鼻海口，滿臉絡腮鬍，一雙環眼炯炯有神，一副猛將模樣。

「樊將軍這次來燕，不知有何見教？」太子丹首先正式發問，剛才接他進來時，寒暄話已講過了。

「慚愧，慚愧，樊於期目前是秦國一逃將，哪還談得上什麼見教，樊某已無國可投，無家可歸，還望太子收留！」他聲音宏量，卻帶著太多的淒涼。

太子丹還未來得及回話，太傅鞠武卻先問道：

「不知樊將軍為何棄秦？」

「說來令人痛心，」樊於期憤慨的說：「嬴政攻下邯鄲，不思如何招亡輯流，安撫民心，最先做的事卻是快意私仇，招殺原先得罪過他和他母親的趙國公子王孫及宗室命婦三百多人，趙國全國上下莫不寒心。樊某看不慣，留書辭職，他卻言我逃亡，殺了我家大小十三口，還要通緝樊某。」他長嘆一聲，虎目珠淚滾滾而出。

這次是鞠武還未開口，太子丹搶著說話：

「樊將軍不必難過，燕國雖小，總還有將軍安身之處，招待也許會簡陋一點，還請將軍包涵。」

「太子說哪裡話？逃軍之將只求有一處容身就夠了。樊某逃往齊國，齊王不敢留，才逃到燕，太子肯收留，樊某感激不盡，大恩不言謝，當圖後報！」

鞠武連連打眼色給太子丹，他都裝作看不見，收留的話已說出口，鞠武當然不便說什麼。但見到樊於期雖然感激，卻不矯揉作態，仍舊一副神色自若的樣子，他看得出他是條好漢子，今後可以爲太子丹捨命。只是留他下來，爲秦攻燕自找一個藉口，總是件太危險的事，他如今不能說什麼，只有暗中在心裡嘆息。

太子丹和樊於期再交互罵了一陣秦王政後，鞠武在旁言道：

「樊將軍旅途勞頓，目前最要緊的是讓他先安頓下來，沐浴更衣和休息。」

他的話提醒正罵得起勁的兩個人，樊於期看看自己衣衫襤褸的落魄樣子，忍不住和太子丹相視大笑。

太子丹喚來近侍交代：

「帶樊將軍到客舍休息，晚間再設宴款待接風，此事不必讓父王及其他的人知道。」

2

等近侍帶樊於期走後，鞠武忍不住埋怨太子丹：

「太子，這件事非同小可，怎麼不加考慮就留他下來？」

「故人好友，走投無路，丹不收留，還要他逃到何處去！」太子丹慷慨的說。

「以私交來說，你的做法完全對，但你可曾想到對整個燕國的危害？」

「橫豎我和嬴政在公私方面的仇都已結定，他的敵人就是我的朋友，何況樊於期在秦期間對我不惡。」

「話不是這樣說，」鞠武長長嘆了口氣：「秦軍現屯中山，正在找攻燕的藉口，留下樊將軍豈不是當著餓虎吃肉，引它撲上來？」

「那我該怎麼辦？老師有以教我。」給鞠武這一說，他也不禁惶恐起來，剛才他眞的只不過是一時感情衝動。

「其實也不是完全沒有辦法，」鞠武沉吟的說：「以小搏大，講求的是鬥智不鬥力。實行要領是低姿態，不鬧意氣，外面多結盟以增我聲勢，內部團結，以示敵攻我將得不償失，就可產生嚇阻作用。不逆不拒，但也不予索予求，必要時示以一拼決心，平日則事事恭謹，這是以小對大的基本原則。」

「丹該怎樣做，老師有以教我。」太子丹誠懇的說。

「請太子速派人護送樊將軍暫時去匈奴躲避，這樣可以滅絕秦的藉口。然後要求主上以昔日和秦莊襄王的交情，卑辭厚禮向秦王政示好，以緩和緊張情勢，再暗中設法連絡韓魏餘留勢力，南方設法說動齊楚聯盟對秦，北方用重金買通匈奴給我支援。形勢一成，秦即不敢輕舉妄動，然後再慢慢策劃報復的事。」鞠武不慌不忙，有條有理的說出這番話。

「老師的話非常有道理，但這樣做要等到哪一年？現秦軍屯兵中山，攻燕在即，丹心含恨，日夜昏昏沉沉的，想的全都是復仇雪恨的事，恐怕無法等這樣久。再說，樊將軍是走投無路才來投靠我，要是加以拒絕而遠送匈奴，丹恐爲天下人所笑，不顧哀憐之交，而只畏懼強秦的威脅，丹無法也不能這樣做！」

「那太子你自己的意思呢？」鞠武見勸不動他，只有反問。

「丹的意思是事情緊迫，怎樣做都是緩不濟急，只有效曹沬劫持齊桓公，要求秦王訂約，退還所佔各國土地，並不得再從事侵略，他答應最好，不答應，就刺殺他。他死以後，秦國必亂，而大將擅兵於外，也必產生異心，再加籠絡，列土而封，他們就會爲己而不爲秦，外分內亂，君臣相疑，各國利用這個機會結盟，合力討伐暴秦，秦國就一定會滅亡。」

鞠武在心裡想，這簡直是將國事當兒戲，不走正途，偏走邪道。但情況緊急，刺殺秦王政未嘗不是緩和情勢的一個拙辦法！但這個刺客到哪裡去找？一刺不中，後果會變成什麼樣子？他口中只有回答說：

「太子這種做法就不是老臣智所能及的了，不過老臣可以介紹一個人給太子，那就是田光先生，他爲人智深而勇敢沉著，太子可以找他商量一下。」

太子丹大喜，急忙問田光先生爲何人。

「太子不知下級社會的事，所以不知田光先生此人。在燕趙市井遊俠之間，提起此人，卻是無人不知，無人不曉的。他急公好義，打抱不平，將別人急難看成本人急難，只要他承諾下來的事，他無不盡全力，由於關係好，也幾乎都能完成。」

「有這樣一位俠士，老師爲何不早說？」太子丹大爲興奮。

「只不過這個人有個最大的毛病。」

「什麼毛病？」太子丹好奇的問。

「他對富貴權勢不願逢迎。」鞠武笑著說。

「這太簡單，他不願逢迎人，讓我來逢迎他好了，老師何時爲我引見？」

「儘快找機會，但他不見得會對太子有所承諾。」

「丹明白這一點，雖然我心急如焚，也不會強人所難，」太子丹明瞭鞠武的意思，首先自己許下諾言：「只是田光先生既爲市井遊俠，交往過於複雜，不知對如此重大國事能否保密？」

「疑人不用，用人不疑，」鞠武正色的說：「越是合作機密重大的事，越需相互推心置腹，否則不合作還好些！」

「丹失言了，老師見諒！」太子丹惶恐陪罪。

3

田光先生正在家裡款宴荆軻，兩人的年齡相差了四十多歲，但豪氣幾乎完全相同。照一般人的想法，叱咤風雲的地下勢力領袖，應該是身體魁梧、聲如洪鐘、威風八面的角色，田光先生偏偏是一派斯文，說話慢條斯理，聽別人說話的時間多，自己說話的時間少。只有和知己喝酒的時候，他的豪氣才眞正顯示出來，他飲酒從不勸人，也不需人勸，酒來即乾，面前很少有存酒，但他千杯不醉，似乎是個無限量級。

酒酣耳熱，此時他口若懸河，侃侃而論。長長的花白壽眉高高揚起，炯炯逼人的眼睛精光四射，像發亮的寶石，晶瑩剔透，不像七十多歲老人的眼睛。

他批評時事，月旦人物，針針見血都有他獨特的見解，能聽到他這種談話的人，都有聞君一席話，勝讀十年書的感覺。

長久流浪江湖的荊軻正好和他相反，他嗜酒，但少飲即醉，醉時高聲談笑，旁若無人，亡國之恨上得心頭就高歌當哭，不能自己。

此時田光正在談趙亡之事，荊軻亦已半醉，斜靠在席案上傾耳而聽，他英俊但蒙上風塵的臉滿佈激憤。

田光唯一的孫女兒田喜在室內張羅著酒菜，她不時深情的注意著衣冠漸形不整的荊軻。

「秦國滅趙以後，亡魏指顧間事，併吞魏趙，齊楚危矣，看樣子秦國統一天下，不要十年。」田光嘆氣說：「秦法嚴峻，亡趙不到三個月，就將趙悅在趙的地下勢力清除得一乾二淨！」

「趙悅？他不是曾幫助過秦襄王回國搶立，而且是當今太后的乾爹，算起來還應該是秦王的乾外祖父！」荊軻驚詫的說。

「乾外祖父？就是親外祖父又如何？秦王政相信韓非那一套，儒以文亂法，俠以武犯禁，在法治社會中，儒俠都是敗類蠹蟲！」田光酒意六分，說話聲音也大了起來：「而且嬴政消滅趙國地下勢力的手段也很毒辣，他先要市井人物自行登記，說是只要自首就既往不究，逾期不登記者，查獲之後全部斬首。但等到這些人登記以後，他全部送往軍中，而查到未登記者，眞也就在市街口殺了示眾。整頓的那幾個月裡，邯鄲市街口幾乎天天殺人！」

「趙悅呢？」荊軻關心的問。

「送到咸陽養老去了。」田光笑著說：「如今趙國市井遊俠，死的死，充軍的充軍，還有些殘餘都逃到齊國和燕國來了。」

「秦王政眞夠利害！」荊軻帶幾分讚嘆的說：「只是我浪蕩江湖，希望藉由民間力量推動朝中顯要，讓各國聯合抗秦的計劃要全部落空了！」

「秦國出了嬴政這樣利害的國君，看來亡六國乃是天意，荊卿，你想恢復衛國的志願恐怕是逆天行事！」田光長長嘆口氣：「遊俠替天行道，打抱不平，原是平民百姓抗拒貪官汚吏和暴政的一股制衡力量，嬴政統一天下，恐怕就沒有我輩立足的餘地了。」

「假若政府眞的廉能，官吏人人自愛，市井遊俠倒眞是多餘的。」荊軻說。

「因爲政治混亂才產生遊俠，沒有這些濟人之急的俠義人士，升斗小民會更苦！」田光看著荊軻說：「現在要阻止秦亡天下，看來只有一個辦法！」

「什麼辦法？」只要聽到阻秦侵略，有希望讓衛復國，他就會興奮。

「刺殺嬴政！嬴政一死，秦國再找不出這樣英明果斷的君主，本身一亂，就沒有餘力再侵略別國，然後我們可以再慢慢的圖謀它！」

荊軻不語，但一顆心急跳，全身血液都在沸騰。

田喜忽然拿著一張請柬進來，輕聲在田光耳邊說了幾句話。田光笑著對荊軻說：

「老友鞠武邀我即刻到他府中小酌，有要事相商，荊卿無事就在這裡繼續喝酒，讓喜兒陪著你，老夫可能會回來晚點。」

「不了，先生既然要走，正好我也約了高漸離和屠狗者在酒肆中相聚，荊軻先告辭了。」

在一旁的田喜狠狠瞪了荊軻一眼，滿臉的失望。

4

次日，太子丹一早就派了駟車，由鞠武帶著從人親自來接田光。

在東宮門前，太子率同親信迎接。太子見到田光，堅持要行見長輩之禮，上台階時親自爲他引道。

在書房坐定奉茶以後，太子摒退所有從人，連鞠武也先行告退，等從人全部退出後，太子避席頓首對田光說：

「秦軍壓境，燕國小勢弱，危在旦夕，願先生有以教我！」

「請太子先說出你的想法，老朽才能貢獻我的拙見。」

太子丹將那天和鞠武討論的情形敍述一遍，最後結論是劫持或刺殺嬴政，逼他簽約交還所侵佔的別國土地，或是造成秦國內亂，再聯合諸侯加以討伐。

田光閉目半晌不語，最後睜開精光四射的眼睛注視太子丹說：

「太子要老朽幫你什麼？」

「主持刺秦計劃。素聞先生深通劍術和夜行術，能在三軍中取上將首級。」

「太子錯了，那都是老朽年輕時候的事，如今老了，精力不濟，太子沒聽說過一句俗話嗎？『伏櫪老驥，不如壯時駑馬。』老朽看法與太子相同，尤其嬴政在趙暴行傳出以後，天下人皆寒心，老朽沒有不肯盡力的道理，只是臣的確太老了！」田光搖頭嘆息。

「另外素聞先生精研相人術，是否可爲丹挑試一下人選？」太子丹有點失望，只有退而求其次。

田光直覺的想到荆軻，但再一想到喜兒看荆軻時深情發亮的眼神，他將這個念頭打消，反問太子丹說：

「太子門下素以多死士出名，是否有這類人才？」

太子丹想了想說：

「丹曾以百金買得趙人徐夫人的匕首，並要工匠加毒藥另行焠煉，以之試死囚，眞的是見血封喉，無不立死……」

「欲善其事，先利其器，太子不惜重金買匕首，這是對的，但非其人用之，反而會傷到自己。」

「丹門下有三勇士，一名夏扶，一名宋意，還有一名秦舞陽，這個人最爲奇特。他十三歲殺人，捕者到他不走，他只是眼睛瞪著這些捕卒，沒有人敢領先靠近他，他最後從容走入市集人叢中逃走。」

「哦！還有這種殺手人才？」田光笑著說：「今年他幾歲？」

「十八歲了！」太子丹也微笑著回答：「門下客很少敢直視他的。」

「從容不迫，殺了人若無其事，倒是刺客的好材料，不知道經過嚴格訓練沒有？」

「這個丹就不知道了。能否將三人喊來，先生加以評鑑，足以當先生之眼者，請先生加以特別訓練？」

「先請來看看再說。」

太子丹要近侍傳來三人。

三人魚貫而入，先向太子行禮，而後向田光行禮，太子要賜坐，田光舉手說：

「不必，要他們三人跪在老朽面前，方可看得仔細些。」

三人臉上出現不悅神情，但看太子不反對，他們只得列出一排跪在老人前面。

夏扶高大勇猛，神情凜然。

宋意俊秀英挺，一介儒生樣。

秦舞陽特別受到重視，田光對他打量的時間最長，田光直視他的眼睛良久，直看到裡面有不耐的火光冒出來。田光笑了笑，突然大喝一聲：

「這些東西給老夫提鞋繫帶都不配，怎能算得上勇士？」

太子丹聽他這一喝，不禁愕然，三名跪在前面的勇士人人都氣變了臉色，礙於田光年老，太子又在面前，不便發作。再看太子都不敢就席位，而是跪坐在席位前面執晚輩禮，更不知田光是什麼來頭。

過了一會，太子丹才會過意來向三人說：

「退下去吧，田光先生沒有輕慢的意思，只是試試你們罷了。」

三人這才臉色緩和，莫明其妙的退了出去。

「先生看怎麼樣？」

「這三個人都不可用，」田光嘆口氣說：「真正勇者受到無故羞辱從不會發怒，所謂泰山崩於前，美人戲於側，無故而加辱都能神色不動。這三個人一經突來無理刺激就怒形於色，不是勇之勇者！」

「得不到上者只能求其次了，先生看三人中誰勉強可用？」太子丹不太服氣的問。

「三人都不可用，刺秦乃涉及燕國及太子家存亡大事，不得勇之勇者，寧可不試！」田光斬釘截鐵的說。

「三人都不可用，但丹願聽聽先生對三人的評語。」太子丹仍意有未甘。

「夏扶血勇之人也，剛才發怒，面紅耳赤，這種人遇事衝動，不夠沉著；宋意脈勇之人也，發怒臉青，這種人遇事外剛內怯，處危險不能持久；秦舞陽怒而面白，骨勇之人也，雖能沉著持久，但只能在熟悉環境如此，一到陌生環境就會不知所措！」

「經先生這一說，豈不是無勇者可以刺秦了？」太子丹沮喪的說。

「太子需要的是神勇之人，」田光笑著說：「發怒而色不變者。」

「何處可找到這種人？」

「老朽眼下就認識一個。」

太子丹雀躍長跪言道：

「在哪裡？丹要親自迎接！」

「老朽忘年之交荆軻，此人可用，但不知他願意否。」

「但請先生介紹，丹當登門拜候。」太子丹有了希望。

「不需要，老朽會要他來拜見太子，外面人多口雜，太子主動去見他，會引起許多猜測，傳到嬴政耳中，他會產生聯想。」

「這倒也是，」太子沉吟一會又說：「丹當以上卿待他。」

「荆軻是慷慨悲歌之士，懷有亡國破家之恨，待遇他是不會在乎的。」

田光和太子再談了一會荆軻的家世和爲人，田光起立告辭。太子丹恭送至大門，笑著向田光說：

「丹今天與先生所言的事，有關國家存亡，希望除荆軻以外，不要讓別人知道。」

田光低頭想了想，也微笑著對太子說：

「好！」

5

荆軻、高漸離和屠狗者在一家酒樓上。

他們三人高據靠牆的一張席案，荆軻居中，高漸離在左，屠狗者坐在右側。

高漸離年齡和荊軻相若，廿多歲，卅不到，但相貌清奇，身體瘦削，看上去比實際年齡要大得多。

屠狗者則是蓬頭亂髮，臉上虬髯橫生，看不出任何年齡，加上別人都不知道他的來歷，只看到他每天在市集殺狗賣肉，大家都叫他屠狗者。

荊軻等三人是在酒肆中認識，意氣相投，酒量也差不多，都是喝一杯臉紅，三杯下肚就有點微醺。帶著酒意高談時事，談到悲慘處荊軻高歌當哭，高漸離擊筑伴奏，屠狗者拍案相和，更傷心時，三人緊擁在一起，放聲哭成一團，旁若無人。

他們幾乎每晚都會到這家酒肆，別人全當他們是發酒瘋，但因高漸離筑技出神入化，令人一新耳目，荊軻善歌，教人聽了蕩氣迴腸，餘音繞耳三日不去，所以到了晚餐時分，這家酒肆天天客滿，全都是爲聽高漸離擊筑和荊軻唱歌而去的，只要他們一天不去，酒肆生意立即一落千丈，門可羅雀。

所以他們雖然是吵鬧了一些，酒肆女主人卻希望他們天天來，只要三天不來，她就會派小童到田光家裡去請。女主人乃是個年輕寡婦，長得頗有姿色，好事之徒就傳出女主人愛慕荊軻的英俊瀟灑，一日不聽他唱歌就吃不下飯睡不著覺。同時每天吃喝都是免費，不然荊軻來燕三年，認識高、屠兩人也兩年有餘，哪來這多的閑錢每天上酒肆大吃大喝。

殊不知荊軻出身衛國官宦世家，自小父母身亡，家產甚豐，喜愛讀書擊劍，曾以治國之術遊說過衛之君，但衛之君不能用，其後秦伐魏，將魏國某些地區連同衛國改爲秦的東郡，而將衛之君遷到邊疆野王去。

所以他流亡出來，意圖遊說諸侯抗秦，以便復興衛國，隨身帶了不少金玉珠寶，再怎樣吃喝，也吃喝不垮他的。對市井傳言，荊軻毫不在意，只是置之一笑，他依然每天同一時間，在同一靠牆席案，和同樣的兩個人喝酒。

今晚有點特別，三人既不唱歌擊筑，也不高談痛哭，只是悶著喝酒，三人沒喝多少，卻都有了六分酒意。

想聽他們唱歌擊筑的客人等了許久，全等得不耐煩，餐罷會帳走了，整個酒樓只剩下他這一桌客人，女主人乾脆要小童關了店門，自己也帶著酒上樓，頻頻向三人勸起酒來。

三人喝了相當時間，高漸離實在忍受不了這種沉悶的氣氛，首先開口說：

「屠狗兄這次去齊，不知何時回來？」

「沒有歸期。」屠狗者喝了一大口酒。

「難道捨得我等兩年多來的相聚？」

「捨得就是捨不得，捨不得就是捨得。」屠狗者吃了一大塊狗肉。

「我聽不懂屠狗兄話中的玄機。」荊軻也夾了一大塊狗肉放在嘴裡大嚼。

「因爲有捨不得才有所謂捨得，反之亦如斯！」屠狗者仍然在打啞謎。

「不知屠狗兄此次去齊，居住何處？」荊軻又問。

「只在彼山中，雲深不知處！」屠狗者正色答道。

「難道要住在泰山頂上？」高漸離笑著說。

「處處白雲處處家，臨淄紅塵當故鄉！」屠狗者長吟。

「我明白了，」荊軻笑道：「屠狗兄還是要回臨淄市井隱居。」

「儘打啞謎，你們煩不煩？」高漸離執起敲筑的竹槌輕敲了幾下，調整了一下弦，對荊軻說道：「荊卿，有酒有肉不能無歌，你唱歌，我來伴奏，也爲屠狗兄壯壯行色！」

高漸離先敲了一段過門，荊軻隨著曲子即興唱出——

今夕何夕兮，

離情依依，

別離無再聚兮，

怎當未離，

白雲處處兮，

皆爲爾家，

我心悠悠兮，

何從何去？

屠狗者自懷中抽出一把殺狗的牛耳尖刀，拍案相和——

爾捨不得兮，

我卻捨得，

無常人生兮，

聚散難測，

凡事捨得兮，

免卻煩惱，

捨得捨得兮，

聚散無別！

三人正彈唱得高興，忽然樓下衝上一人，人未到聲音先到：

「老子想喝酒找不到人招呼，你們卻在樓上雞貓子亂叫的吵人！」

女主人連忙站起去接待，可是一個彪形大漢已衝上樓來。

6

「荊軻，原來是你！上次在邯鄲，你給老子一喝，就嚇得夾著尾巴跑了，今天又厚著臉皮在此唱歌享樂，還有美人陪著！」他說著話，順手在女主人吹彈得破的粉臉上摸了一把。

「客人請放尊重些！」女主人看著荊軻求救。

來人身高八尺有餘，肚大腰圓，獅鼻海口，兩眼突出，像兩粒龍眼核，身上還佩著一把劍鞘鑲金嵌玉的寶劍。

「魯勾踐兄，請坐。」荊軻微笑著擺手相請。

「原來是荊卿的舊識。」已經緊張防備的高漸離輕舒了一口氣。

只有屠狗者玩弄著殺狗牛耳尖刀，連頭都未抬一下。

「坐你媽的坐！」魯勾踐不但不領情，反而一口濃痰吐在荊軻臉上：「上次讓你跑了，這次你可跑不掉了，起來拔劍！」

荆軻聲色不動的坐在原處，就讓那口濃痰順著臉向下巴流。女主人看了痛心又噁心，掏出絹帕撫著櫻口嘔吐起來。

「這是怎麼回事？」高漸離不解的問荆軻：「你和魯兄有什麼深仇大恨？」

「沒什麼，」荆軻微笑著說：「那次在邯鄲賽車，魯兄輸了我一個車身，事後他說我是以車阻道才贏了他，要跟我決鬥，我自問不是魯兄對手，所以逃了。」

「賽車阻道，這是規則許可的，」高漸離脫口說出：「車快可由別的車道繞過去。」

「老子說不可以就是不可以，荆軻，今天你要還老子一個公道，」他再瞄了瞄兩邊不起眼的高漸離和屠狗者：「你們兩個最好乖乖坐在一旁，否則休怪老子的寶劍不長眼睛。」

「我打不過你，我認輸，」荆軻依然微笑：「而且那天賽車贏的釆頭也讓給你了。」

「不管怎麼說，今天老子就是要和你比劍，站起來，拔劍！」

「荆軻，涵養好，不與這種人一般見識是對的，但用你這種一忍再忍的方法對這種無賴蠻牛，他只會得寸進尺，認爲你軟弱好欺侮。」久未說話的屠狗者慢慢站起來。

「你要幫他出頭？」魯勾踐打量一下站起來只有他下巴高的屠狗者，不屑的說道：「你連佩劍的資格都沒有，怎麼跟你老子比劍？」

屠狗者提了提不到一尺長的牛耳尖刀說：「用這個試試吧！」

「你這個殺豬的，把老子當豬？」魯勾踐兩眼橫睜。

「我是殺狗的。」屠狗者臉上沒表情的說。

「把老子當狗？」魯勾踐火氣更大。

「把你當狗是抬舉了你，其實你比豬還笨，」屠狗者徐徐而言：「現在輪到我說話，拔劍！」

魯勾踐飛身退後三步，劍隨退勢拔出，別看他身體龐大如牛，拔劍身形卻靈活優美。劍果然也是好劍，劍身剔透明亮，在燈光照耀下，有如一泓秋水。

「小心了！」魯勾踐大喝一聲，出劍卻是虛提一招欺敵。

「屠兄小心！」高漸離和女主人同時驚呼出聲。

只有荊軻依然坐在原處，臉都未擦一下，微笑觀看著，就像看毫不相干的兩個人打架。

魯勾踐發出虛招，屠狗者連看都未看一眼。接著他又再大喝一聲，三招接連而來，快捷有如閃電，似乎是擊成一招，前後左右都封住屠狗者的退路，最後是「直取中原」的當胸一刺。

「你毒我不毒。」屠狗者身形毫無變化，只是牛耳尖刀順著劍身而上，魯勾踐怕手指遭削，只有棄劍後跳。

他看著地上的棄劍，不相信的搖搖頭。

高漸離擊筑，大聲喊好。

荊軻仍然微笑。

「這次你小子碰巧，不算，再來過。」魯勾踐不服的說。

「可以，拾劍再鬥，可是這次你得付出代價！」屠狗者仍然不屑的說，同時退後三步，讓魯勾踐好拾劍。

魯勾踐拾劍在手，信心大增，又是一聲暴喝，這次是五招連成一招，上下左右前後出現五朶劍花，燈光底下，有如眾多花瓣紛紛落下，煞是好看。最後一招爲了防屠狗者再削指頭，乃是以劍當刀，橫砍在他的頸子上，要是砍中，屠狗者的腦袋就會飛上天。

只見屠狗者身形一低，那把牛耳尖刀如影隨形，橫著順劍身而上，這次魯勾踐連棄劍的機會都沒有，五根血淋淋的指頭隨著寶劍散落在地板上。

魯勾踐呆立當場，忘了手痛，大聲喊著：

「你是人還是鬼？」

「還不拾劍快滾？再來你會輸掉腦袋！」屠狗者也大喝一聲，屋頂似乎都爲之震動。

魯勾踐左手拾劍，握住傷手，狼狽的跑下樓去。

屠狗者復座，女主人爲他斟上一杯酒，展開花似的笑顏：

「你眞的是眞人不露相！」

「多謝屠狗兄解圍。」荊軻也抱拳道謝。

「這一吵，喝酒興致一點都沒有了，」高漸離笑著說：「只是屠狗兄剛才用來用去只有那麼一招，荊卿值得學習，可以用來對付魯勾踐這種仗技欺人的無賴。」

屠狗者只笑笑不說話。

「改日一定要向屠狗兄請教。」荊軻誠懇的說。

「不要改日，要學現在學，你忘了屠兄這次南去，沒有了歸期？」

正說笑間，只聽樓梯又是急促響起。

女主人花容失色，驚呼道：

「難道魯勾踐不死心，又約了人來？」

7

上樓來的是田喜姑娘，她瞪了酒樓女主人一眼，神情緊張的對荊軻說：

「荊軻，爺爺有事，要你馬上回去。」

她這才和高漸離與屠狗者見禮。

荊軻向屠狗者告辭說：

「明天一早我爲屠狗兄祖道送行。」

屠狗者搖搖頭說：

「不必了，我不一定明天走，也許等會酒醒就上路，也許明天你還能在市集看到我殺狗賣肉。」

「也罷，我輩不必如此拘禮，待我高歌一曲在此爲屠狗兄送行。」高漸離笑著說。

他擊筑引吭高唱，聲徹屋頂——

千山獨行，

萬水飄零。

一身一刀，

何處歸程。

故國難歸，

壯士無路，
落拓異鄉，
何時底胡？

唱到「落拓異鄉，何時底胡」時，聲音由高亢一轉爲低迴，荊軻忍不住隨聲相和，反覆再三低吟，樓上連田喜在內五人，莫不淚下兩行。

屠狗者首先起立，滿臉是淚也不擦拭，抱拳向眾人行禮說道：

「就此別過，有緣自當再相見。」

他頭也不回的自行下樓而去。

「眞是傷心人別有懷抱！」高漸離望著他的背影嘆息。

荊軻也向高漸離告辭，帶著田喜姑娘下樓，跨上馬快馳回田光家。

田光正坐在書房內沉思，似乎有事委決不下。他見到荊軻進來，只點點頭要他坐下，他仍然想他的事。

田喜知道在這種時候，祖父不喜歡人吵他，她悄悄的帶上房門出去。

荊軻側坐，也陷入自己的思潮裡，剛才的歌聲仍縈繞在耳旁。

故國亡於秦，他先是遊走楚郢，希望能藉楚國之力復國，但人微言輕，連執政的大臣都見不到一個。

接著他遊蕩齊臨淄，希望藉由市井遊俠的力量，組成一股反秦勢力，日子一久才發現到，好的遊俠固然能濟貧扶弱，鋤強去惡，但一談到政治都沒有興趣。而像魯勾踐這類的自命遊俠，簡直是仗技欺人的無賴，臭味相投，聯合起來欺侮善良百姓尚可，要他們做犧牲奉獻的抗秦工作，根本是不可能的事。

隨後他又去到趙邯鄲，也拜見過趙悅，才知道他不但不能幫他抗秦復國，他早就是秦王政的乾外祖父。

兩年多前他來到燕薊，結識了田光，但田光這位地下勢力領袖年紀已老，壯志全消，他反而時常暗示他就此安定下來。他告訴他，天下合久必分，分久必合，大約五百年是個輪迴周期。周平王東徙雒邑，國勢日弱，控制不住諸侯，諸侯自相併呑征伐，到現在已五百年有餘，也該是天下要合的時候到了。

他告訴他說，秦王政英明神武，天賦過人，處事明快，歷經各種家變而屹立不動，禮賢下士，用別人不敢用的人才。最要緊的是他能得武將和士卒的心，秦軍人人願意爲他效死，這是古今君主都很難辦到的事，歷史上只有周武王和商湯能做到，所以他們能以小國寡民統一天下，創下數百年的基業。由此看來，秦王政統一天下已成必然趨勢，荊軻想逆流行事，志雖可嘉，但吃力未必討好，未必能成事。

荊軻又想到對他一往情深的田喜姑娘，清新可人，溫柔勤勞，乃是上選的賢妻良母。田光雖未明說，但請他住到他家來，一切私人雜事都是由田喜為他打理，有機會就讓他們單獨相處，用意不是很明顯嗎？

但他怎麼能安得下心，定得下來？國仇家恨，明知不可為，卻不能不為，他只有借酒澆愁，高歌當哭了，這種心情會成為一個好丈夫嗎？

他不敢想，也不敢接受田喜那份深情，他只能當她是自己的親妹妹。

8

「荊卿，你也在想什麼？」

不知過了多久，耳邊聽到田光先生如此發問。他回過神來，有點不好意思的回答說：

「先生喚我回來，不知有何要事，我正在靜等先生指示。」

「哦，哦，這件事我正委決不下，所以想出了神，讓你久等了。」

「不敢，先生請說，到底何事？」

「你不是一心一意要報秦滅衛之仇嗎？現在機會來了！」

荊軻聞言興奮，酒意全消，他正襟危坐，欣喜的問：

「什麼機會？」

田光含笑的將太子丹的事情說了。

「那先生還有什麼委決不下的？」荊軻不解的問。

「我的這個孫女！」

「喜妹，這與她有什麼關係？」荊軻明知而故問。

「孩子，」田光突然改口，慈祥的說：「兩年多了，你不知道她對你一往情深嗎？」

荊軻聽田光如此開門見山的說，不由全身一震，一時語塞，不知該如何回答。

「這也就是我對這件事拿不定主意的主要原因，」田光嘆口氣說：「在私心來說，我眞的希望你安定下來，只要你放棄仇恨之心，自然不會酗酒，除掉這點，你會是個好丈夫。田喜會是個賢妻良母，這是我百分之百敢肯定的。」

「晚輩承認。」不知爲什麼，荊軻也忍不住嘆了口氣。

「但在你的立場來說，任何只要有一線希望的機會，你都不應該放過。」

「不錯。」

「所以當時我在內心交戰以後，還是決定將你推薦給太子，否則你知道了會一輩子恨我。」

「這晚輩倒是不敢的，」荊軻忍不住插口說：「怎麼說先生都是爲了愛護我。」

「要是不推薦，也不讓你知道，我自己也會終身良心不安，因爲這樣有虧誠實之道。但在回家以後見到喜兒，我的這點私心又再起，兩難之間眞是難以選擇。現在我既然告訴你這件事，就是要由你自己來作個決定。」

「晚輩不太明白先生的意思，還請先生明說。」荊軻不是眞的不明白，而是想將這個燙手山芋丟給田光。

「這裡有兩個選擇，」田光很費力的說出：「一個是你根本忘了國恨家仇的事，明瞭天下統一乃是不可抗拒的大勢，依你和我家的貲財，足夠找個山明水秀的地方安居下來，和喜兒結婚，多生幾個孩子。」

「如晚輩做不到呢？」荊軻說出這句話，卻有種爽然若失的感覺。

「那你就做第二個選擇，明天自己去見太子丹，和他計議刺嬴政的事！」田光似乎有點不甘心的說。

「那先生你呢？」荊軻吃驚的問：「荊軻願作馬前卒，還需先生主持大計。」

「我老了，不願再管這些凡塵之事，等你到了某種年齡就會明白，很多事當時你自己覺得嚴重非凡，等過段日子，在別人眼中只不過是場兒戲，你讀歷史時是否有這種感覺？」

「但晚輩等待這麼久，就是在等這種機會！」荊軻堅決的說。

「那就好好把握這次機會！」田光笑著說。

接著他又出了一會神，突然對荊軻說：

「假若我不在了，你會對喜兒好？」

「我一直將她當作親妹妹！」

「沒有其他感情成份？」

「……」

「明白告訴我！」

「晚輩自慚汚穢。」

「爲什麼？」

「流浪江湖，時時都有生命危險，何以爲家？」

「算了，這種事勉強不得。」田光像是在對自己說話。

「先生怎麼啦？」荊軻帶點歉意的問，隨即又說：「不管怎樣，只要我能力所及，晚輩都會好好照顧她。」

「我要的就是你這句話，」田光嘆了口氣說：「其實她都是廿歲出頭的人了，從小父母雙亡，她是很獨立的，你沒看見，這些日子還是她在照顧我。」
「晚輩住在這裡，也是一直承蒙她在照顧。」荊軻笑著說。
「那好，現在我要告訴你一件事。」田光沉吟的說。
「請說。」
「太子臨送客出門時對我說了一句話，說是他和我談的國家大事，希望不要外洩。」
「這有什麼關係？」荊軻不解的問：「他只是順口說說罷了。」
「但對我輩中人，他這樣說乃是我們莫大的恥辱！」
「先生爲什麼如此想？」
「假若一個人受到懷疑，尤其像我這種年齡，爲燕國做了這多事的人……」
田光先生站起來走了幾步，緩慢的對荊軻說：
「你可以告訴太子，田光已死，祕密永遠不會洩漏出去了！」
「先生不能改變主意？」
「不能！」田光坐回席位，緩緩抽出佩劍，自刎而死。
荊軻神色不動，走出門外找來田喜。

荆軻冷靜的將事情說了，田喜撫屍大哭，她一面喊著：

「你們男人為什麼都這樣傻？為了一個空幻的理想，情願終生流浪，為了隨便一句話就輕易自刎，這到底是剛強還是軟弱？」

荆軻輕撫著她的頭髮，無言以答。

9

在東宮密室裡，太子丹摒退所有從人，單獨接見荆軻。兩人相對，很久沒說一句話，室內一片寂靜，連壁燈輕微的跳動聲都清晰可聞。

「田光先生死了，自刎而死。」荆軻不帶任何激動的說。

「田光先生自殺而死！為了什麼？」太子丹卻震驚得差點從席位上跳起來。

「他要臣轉告太子一句話，他一死，國事祕密就永不會再洩漏出去了！」

「難道說就為了丹隨便說的那一句話？」太子難過的說。

「有時候一句話會亡掉一個國家，尤其是像太子這種身份的人。」荆軻仍然平靜的說。

「都是丹害了田先生！」太子丹眼淚汨汨流出。

良久，太子丹避席頓首對荆軻說：

「趙國已亡，下個目標就是燕國，燕國小民弱，不足拒強秦，還望荊卿爲丹想個好計策來。」

「以太子的意思呢？」荊軻反問。

太子將他刺嬴政的計劃說了。荊軻想了很久，最後辭讓說：

「這樣關係重大的事，荊軻恐怕承擔不起。」

太子接連叩頭，一再請求說：

「荊卿以復衛國爲平生唯一的目標，只要除掉嬴政，強秦必亂，再聯合諸侯伐秦，衛國復興就有望了。」

荊軻亦連忙避席頓首說：

「太子如此誠懇，臣要是不答應，就顯得太不通人情了。」

「不知荊卿有何需要？」太子丹這才回席說。

「工欲善其事，必先利其器，素聞太子百金購得徐夫人匕首，是否能取來看看？」荊軻胸有成竹的說。

太子丹拉動叫人鈴，一會近侍出現在密室，太子丹命他將徐夫人匕首取來，交給荊軻。

荊軻接在手中一看，此匕果然名貴，劍鞘乃是純金打成，入手非常沉重，鞘上還兩面共嵌二十四顆明珠，在燈光下光華耀眼。

他抽開匕首一見，不禁心動了一下。原來這把匕首不像一般匕首都作短劍狀，卻像是屠刀者所用的牛耳尖刀，稍作橢圓而頭尖，劍身比一般匕首薄，容易貼身而藏。

這把匕首劍身毫無光芒而呈暗藍色，一看就知是用毒藥煉過。

「荊卿，這把匕首你可用得慣？」太子丹說：「用時需加小心，這把匕首曾經以劇毒煉過，一見血即封喉。」

「臣慣用長劍，用這類短小刺殺兵器不甚內行，但臣有一知交，運用起來倒是巧妙通神。」

「此人現在何處，荊卿是否可以引見？」太子丹急切的問。

「眞是不巧，日前去臨淄了！」荊軻說。

太子丹長嘆一聲，但忽然又神色一動的問：

「是否可派人去臨淄找？」

「處處白雲處處家，他分別時曾如此對臣說，連臣也不知他是否會去臨淄！」荊軻不露任何表情，心中也深爲惋惜。

「荊卿還需要什麼，儘管說，一時沒有，丹也會派人盡力照辦。」太子又催促他說。

「臣還需要兩樣東西，可能比較困難些。」荊軻含笑的說。

「快說，只要丹有的東西，絕不會吝惜！」

「第一樣是燕國督亢地圖……」

荊軻話還未說完，太子丹就打斷他的話。

「荊卿要督亢地圖做什麼？這是燕國最高軍事機密，雖照燕督亢地區命名，實際上是燕的兵要地誌和軍事配備圖！」太子丹大吃一驚的問。

「太子只須回答是否願意拿出此圖，需要的理由容臣最後說。」荊軻微笑，等著太子丹答覆。

「只要對刺嬴政有幫助，雖賠上丹的人頭亦再所不惜，何況是份地圖！」太子丹慷慨的說：「還有一樣呢？」

「臣要的正是一顆人頭！」荊軻有意加強語氣說。

「人頭？誰的人頭？」太子丹大爲驚奇。

「秦逃將樊於期的人頭！」

「爲什麼？」太子丹更爲不解。

「太子先別著急，聽臣解釋。嬴政身爲秦國之主，再加上他征服各國，爲報私怨，所殺的人都不少，他警衛防備一定不會鬆懈，要刺殺他談何容易？」

「依荊卿之見呢？」

「要刺殺他，必須先接近他，而要接近他就必須讓他得意忘形，失去戒心。」

「丹還是不太明白荊卿的意思。」

荊軻起立，在室內走動，語氣堅定的說：

「按臣的計劃，燕派臣送督亢地圖及樊於期人頭給嬴政示好，獻督亢地圖表示臣服；獻樊於期人頭象徵燕的悔改，不該收留樊於期。嬴政得到這兩樣東西，必然因過於得意而對臣失去戒心。臣先將匕首藏於圖內，圖窮則匕現，臣要教嬴政血流五步！」

「果然好計策！」太子丹拍案大喜，但一轉念又神情沮喪的搖頭說：「樊將軍得罪嬴政，投靠諸侯皆遭到拒絕，最後窮途末路才來投奔丹，這樣做，丹心實在不忍，荊卿是否還有其他辦法可以取代？」

「臣早知道太子宅心仁厚，這樣東西不容易辦到，」荊軻回座哈哈一笑：「臣再另行設法吧！但太子是否可以介紹臣與樊將軍認識，臣對他的豪氣早已耳聞，並且佩服之至。」

「當然可以，」太子丹又問：「不知荊卿何時執行這項計劃？」

「臣想派人至臨淄尋找那位至交，有了他，事情就可有百分之百的把握，臣需要一個好幫手。」

「目前不急，」太子丹笑著說：「秦國正逢帝太后大喪，秦對外用兵也許會休息一段時間，何況它才吞下趙國，還需要消化，同時在行前，丹也應該好好招待荊卿一個時期。」

10

高漸離自願爲荊軻去臨淄找屠狗者，荊軻沒有告訴他原因，他也不想問，他們三人有這種默契，誰找誰，只要說有迫切急需，大家都會披星戴月，日夜兼程赴約。

秦太后於秦王政十九年年底去世，謚爲帝太后，與莊襄王合陵，那裡早就準備好了她的位置，全天下都有很多人在問，這對生前同床異夢的夫婦，在地下是否仍然同寢異夢。

爲了辦理大喪，秦軍暫時停止對外行動，齊、楚、魏對秦心懷恐懼，不得不派使弔唁，燕國更是加派燕太子丹的特使，私下覲見秦王政，請他原諒私自逃回國的罪，並建議待帝王后喪事辦完，明年初派特使獻上督亢地圖和樊於期的頭（後者是荊軻祕密的交代），盼能與秦和好，表示燕的臣服。

秦王政雖然是母喪哀悼期間，聽到使臣的這些話，也不禁在心內狂喜。得到督亢地圖，等於是全盤明瞭燕國兵要和兵力配備，今後攻燕要方便多了，而樊於期這個老匹夫，他自問對他不薄——其實他對每個將領都不薄，自從聽了老爹那番話，他一改秦國那些先王的毛病，不再將戰將當成獵狗，不再「狡兔死，走狗烹」，他的確對他們極度禮遇，盡量照顧他們的家人和退休以後的生活。

而樊於期不念他對他們的好處，只為他殺了幾個趙國的人渣——的確，吸盡百姓的民脂民膏，終日無所事事，專研究如何消遣享樂，不是人渣是什麼？——就跟他翻臉，留書逃亡，給諸將領的士氣帶來嚴重打擊，他不該死，誰該死？燕國遲早是要滅掉的，太子丹既然以這樣貴重的禮物來求和，讓燕多活幾天，先解決魏、楚、齊再說。燕地處邊陲，又有趙地隔著，對秦攻楚魏沒有什麼妨礙，再說逼急了，它要是和北邊的匈奴聯合，那會造成匈奴進入邊境，甚至是中原，惹的禍就太大了。

有了這種想法，秦王政欣然答應了太子丹私人特使的建議。

在燕國這邊，太子丹不但奉荊軻為上卿，而且幾乎是天天邀荊軻和樊於期同遊，車騎飲讌，奇珍異寶，聲色犬馬，只要他們意有所動，他不等他們開口，就為他們辦來。

樊於期心直，而且軍中嚴肅生活過習慣了，在這方面不太有所要求；而荊軻流露浪子本色，太子丹所提供的一切，他連個謝字都不說便照單全收。依他心中的想法，太子丹是在買他的命，人間沒有比自己的命更貴的東西。

譬如宮中盛傳著一些故事——

有次，太子丹騎著一匹汗血寶馬和荊軻出遊，荊軻開玩笑的向太子丹說，據傳千里馬的肝最補，人吃了以後會膽氣更壯，身體虛的也會轉弱爲強。

當天的晚宴上，那匹萬中難找一的寶馬的肝，就已由御厨以恰到好處的火候炒好，呈遞在晚宴荊軻的席位上。

還有一次，荊軻、太子丹和樊於期三人至易水之西視察部隊，時值嚴冬，易水都已結冰，回到東岸，三人欣賞雪景，興致正濃，荊軻忽然發現河中有一裂縫，童興大發，在岸邊拾取石子，和樊於期比賽投準，看誰丟進冰洞的石子多，就在這時，太子丹命近侍端來整整一盤金丸供兩人投著玩，最後連樊於期都覺得浪費，丟不下手而停止。

另外一個流傳最廣的故事是，在一次晚宴上，荊軻看一名彈琴的太子丹愛姬的手看得入迷，竟忘了回答樊於期的問話，太子丹奇怪問明原因，沒過一會工夫，這名愛姬那雙白皙豐腴的玉手就被砍下來，用玉盤呈送到荊軻的席位前，害得荊軻從此不敢再讚美眼前美女的任何部位。

太子丹不是笨人，他看得出荊軻刻意結交樊於期的目的，正和他刻意厚待他一樣，在太子丹的眼中，兩個都已經是死人，他必須對他們好，盡量滿足他們的願望。

很快冬去春來，易水部份解凍，河水又復淙淙，但河水春寒依舊，列陣在易水以東的燕代聯軍，積極備戰，以防屯兵中山的秦國王翦部隊突然發動春季攻勢。

到臨淄尋找屠狗者的高漸離沒有任何消息傳回，似乎他也跟著屠狗者失蹤了。

秦國駐燕使者傳達秦王政的話，秦王急著要督亢地圖和樊於期的頭，如不在近期送到，後果自己負責，也就是要用武力來取。

太子丹暗示了荆軻幾次，荆軻有點不耐煩的說：

「臣遲遲不能成行的原因有兩個，一個是等找屠狗者的人回來，入不測之秦，在萬人護衛中劫持一國國君，不發則已，一發就必須中，臣需要一個得力助手。」

「再等下去，旦夕之間秦軍就會渡過易水，丹雖想再陪著荆卿也不可能了。依丹看來，不如派秦舞陽爲副使，舞陽經過田光先生的考驗，雖稱不上是上上之選，卻也被田光先生讚爲骨勇之人。」太子丹挿口說。

「這個問題猶在其次，最要緊的原因是得不到樊將軍的頭，臣就無法接近嬴政！」荆軻惋惜的說。

「丹眞的不忍！」太子丹神色凄然。

「臣和太子一樣不忍，但除此以外還有別法嗎？」荆軻問太子也是在問自己。

11

荊軻明白太子丹開不了口，只有自己去當這個劊子手。好在他和樊於期差不多，樊於期應該是百分之百的死人，而一旦入秦，他的性命也就去了百分之九十八，所以由他去逼，良心比較不會不安。

那晚，他們約好在樊於期府上喝酒。

看到樊於期威猛卻落魄的模樣，再看看他居處的簡陋，他忍不住感到心酸。樊於期至今猶保持著秦將傳統的儉樸作風，睡的是硬板牀，沒有錦繡睡墊，太子丹雖然屢次送婢女和僕傭，但都被他拒絕回去，只留下一個中年男傭服侍他的起居，一個女傭洗衣煮飯。

太子丹對他不是予索予求，而是逼他求他接受他的贈與，但他仍是不肯接受非必要的東西，說是要保持武將刻苦的本色。太子丹曾取笑他說，要是趙國的將軍都像他，趙國就不會滅亡了。

今晚樊於期的興致特別好，他的酒量正和荊軻相反，而和田光先生一樣有千杯不醉之量，但不同的是他酒喝得越多，話越少。不過今晚他的話卻格外多。

「荆卿，你知道爲什麼今晚我話多的原因嗎？」樊於期有了三分酒意，不斷說話。

「我也有點感到奇怪，能告訴我嗎？」

「再過兩天我就要到易水之東的燕軍中去，讓我有機會和秦軍決一雌雄！」

「將軍本爲秦人，率燕軍和秦軍作戰，心中不會覺得彆扭？」

「嬴政殺我全家，此仇不共戴天，秦侵略各國，造成天下兵連禍結，於公於私，我都感到良心無愧！」樊於期豪氣干雲的說。

荆軻沒有答話，卻暗自在心內慶幸，好在他今晚下了決心，提前來了一步，否則他到易水之東帶兵去了，事情就會全部弄砸。另方面他發現太子丹雖然有點感情用事，卻的確是個好人，他認爲他是想讓他當劊子手的想法，乃是以小人之心度君子之腹。

他想，他必須抓住今晚的機會。

「荆卿何日動身去秦？」樊於期又在問，看樣子他還不知道秦王政在催著要他首級的事。

「本當早就啓程了，只是還少了一樣東西，同時還在等一個人。」

「少樣什麼東西，等什麼人？」樊於期好奇的問。

「等一個由臨淄來的朋友，缺少……」荆軻下面的話不知該怎樣說下去。

「缺少什麼東西，看我是否能幫忙？」樊於期熱情的說。

「這樣東西正需要樊將軍的協助！」荊軻見他漸漸自入羅網，不禁暗自高興。

「那你就直言罷！看我能協助你些什麼。」

荊軻輕咳了兩聲，硬起心腸說道：

「秦王對將軍眞的是做得太過份了，將軍只不過是政見不合，看不慣嬴政報私仇濫殺的作風，乃至留書辭職出走，他通緝你個人還則罷了，不該殺你全家十三口。如今聽說他又懸賞黃金千斤購將軍頭，生得者封萬戶侯，他對將軍的仇恨眞的如此之深嗎？」

「嬴政爲人忌刻，順者生，逆者死，不過秦軍將領很多還未看清他的眞面目。先前我也看錯了他，只當他禮賢下士，尤其照顧軍人，乃是百年難遇的明主。及至趙國爲私怨濫殺的事情發生，我看不慣留書出走，仍然對他存著幻想，總希望他在那件事上只是一時衝動，直到他殺我全家，我才知道他根本是個沒有人性的人！」

「那將軍今後做何打算呢？眞的要借燕國之兵，殺秦國故舊來洩嬴政殺將軍全家之恨？」

荊軻特別加重故舊這兩個字的語氣。

「我也不知道該怎麼辦？」樊於期放下酒杯仰天嘆息，豆大的淚珠由一雙虎目中滾滾而出，他哽咽著說：「於期每想到這件事就心如刀割，痛及骨髓，但就是想不出該怎樣做，怎樣解決！」

「現在軻有一個辦法，既可解除燕國將遭滅亡的危險，同時也可報將軍的仇恨，將軍看看怎麼樣？」

「什麼辦法？」樊於期避席，膝行到荆軻席位旁，側耳而聽。

「那就是用將軍的頭接近秦王。荆軻只要能靠近他，我將左手把其胸，右手刃其心，將軍的仇可報，燕國遭侵略的威脅也可以解除了，將軍認爲怎樣？」

「荆卿所謂少樣東西不能啓程，就是指我的頭而言？」樊於期哈哈大笑。

鐵錚錚的漢子，臉上猶掛著眼淚的爽朗大笑，看在荆軻眼中，增加他心裡更多的蒼涼。

「將軍願意這樣做嗎？」荆軻平靜的又再問一句。

「這還用得著問嗎？」樊於期抽出佩劍，敞開上衣，露出毛茸茸的頸子，左手緊握執劍的右手手腕，微笑著對荆軻說：「我也曾想到這一點，只是找不到送我頭去接近嬴政的人，荆卿既然肯，請等下將我的頭割整齊好看點，免得嬴政看到認不出來。」

樊於期雙手用力，劍鋒切入咽喉，血箭激湧出來。

荆軻俯身向屍體拜了三拜，然後小心翼翼的割下頭，放在几案上，他細心地用手絹沾酒，擦掉首級臉上的血汚。

沒過多久，太子丹得到消息趕來，撫著屍首痛哭，他一邊還哽塞著反覆對荆軻說：

「難道除了這樣，就沒有其他的辦法？」

荆軻始終沒答話，他專心一意的擦拭那把沾滿了鮮血的劍。

12

荆軻回到家中，發現自己房裡的燈是亮著的，這表示田喜還在他房中幫他整理。

對這位賢淑而又專情的女孩，他有著無限的歉意，尤其是田光死了以後，他可說是她唯一能相依爲命的人，可是在這段她最需要人慰藉的期間，他卻在狂歡尋樂，想盡情享受這生命的最後一段，反而很少回居處。

如今樊於期已死，頭以藥水泡製起來，不會發臭，臉形及五官長時間都不會變，下面該輪到他了。

本來，他如願的拿到樊於期的頭，應該多少有點得意和滿足，但現在充滿他內心的卻只有空虛，難以形容的空虛，無法塡滿的空虛。

一跨入房間，他意外發現田喜正睡在他的牀上，而且身上只裏著一件銀色睡袍。

看到他進屋來，她連忙起來爲他倒茶，伺候他換衣，看到他疲憊的樣子，她忍不住吃驚的問：

「有什麼事？你看上去好像很累！」

「我不累，只是這裡難過。」他指指心口。

「什麼事能使你難過成這個樣子？爺爺死，你到現在也沒掉過一滴眼淚！」她語氣帶著埋怨，卻有更多的欣賞意味：「凡事你都是沉得住氣的。」

「現在我的眼睛也是乾的，還沒流過一滴眼淚！」

「你只有喝酒喝歌時才會流淚，」田喜孩子氣的笑著說：「今晚到底發生了什麼事？看起來和爺爺死的那晚神情差不多。」

「和妳爺爺一樣，樊將軍自刎了！」

「爲什麼？」

「因爲我要他的頭！」

「是你殺了他？」田喜驚叫。

「沒有……不是，」他坐到牀邊，喝著她倒來的茶，很困難的說道：「我不知該怎樣向你解釋……應該說是秦王要他的頭。」

「就爲這個，你就不顧道義逼死他？」田喜氣得想哭。

「不是我……」

「我知道還有太子丹！」田喜眞的哭了出來。

「我眞的不知如何向妳解釋，」荆軻拉她在牀邊坐下來，像對孩子一樣對她說：「都二十歲的大姑娘了，怎麼像小孩一樣，說哭就哭。」

「我想到爺爺嘛！太子丹眞是不祥人物，自從他出現，爺爺自刎了，今天樊將軍又是自刎，明天……」她兩手遮臉，哽咽著說不下去。

「來，不要難過，把眼淚擦掉，」他在她睡袍袖袋裡掏出手絹塞在她手上：「我要告訴妳一件事。」

「什麼事？」她用手絹擦著眼淚問。

「過幾天我也許要出使秦國一趟，妳一個人在家要多注意點。」荆軻語氣平靜，內心激動。

「送樊將軍的頭去？」田喜睜大眼睛問：「你們眞的這樣殘忍？」

「爲了燕國的安全，沒有別的辦法！」荆軻眞想將內情告訴她，可是說不出口，兩位講求信義的人都爲這件事死了，他不能加以破壞洩密。

他長長嘆了口氣，想改變話題：

「妳今晚怎麼睡在我的牀上？」

「你不回家這段時間我都睡在你牀上！」

「爲什麼？」

「等你回來，」她有點害羞的低下頭，想了想她又抬起臉來直視著他：「我高興，不可以嗎？」

「好了，姑娘，今晚我回來了，妳可以不必等，回自己房裡去了。」他看到她心裡會難過。

太子丹眞是她所說的不祥人物，他一出現在他們中間，就接連有兩個好人喪生，而且是心甘情願的死，再下去就是他，世上唯一可以照顧她的人。

「差點忘了告訴你，今天有人幫高漸離帶信，說是在臨淄找到了屠狗者。」她沒聽他的話離去，而是告訴了他這個消息。

「眞的？」他不禁喜形於色：「他什麼時候可以回來？」

「來人說，大概就是這幾天吧。」

「好了，喜妹，我想休息了，妳請回房去吧。」他不經意的說。

「我不要，我要留在這裡。」她像個撒賴的小女孩。

「什麼？」他驚詫的望著她。

「荊哥，你是不是討厭我？」她哭著問。

「怎麼會！」他皺著眉頭。

「那爲什麼你好久不回來，一回來就攆人家走？」

「今晚我實在太倦，有話明天講。」他拿她眞沒有辦法。

「爺爺要你照顧我？」她責問的說。

「不錯。」他內心浮起歉意。

「那爲什麼這些天你和那些鬼女人鬼混，卻從不回來看看我？」

「……」

「她們會做媚態討好你，我不會，是吧？」

「那跟妳是兩回事，妳怎麼這樣！」他敷衍的安慰她，心裡在想，不大不小的女孩眞難纏。

「你嫌我太醜？」她哽咽著。

「怎麼會！」他說的是老實話。

「她們有的，我也有！其實，我想我不會比她們難看！」

她突然掀開睡袍，原來裡面什麼都沒有穿，一副美麗玲瓏的少女胴體整個呈露出來。

他連忙將她的睡袍拉攏，她趁勢投入他的懷裡放聲大哭，一面抽泣著說：

「爺爺臨死時要你照顧我，你卻將我一個人丟在家裡不管！」

他輕拍著她的背安慰說：

「這些日子實在太忙，忽略了妳，這次咸陽回來，我就永遠不再離開妳！」

「眞的？」她抬起淚臉微笑著問他。

「眞的！我可以對天發誓。」他舉起手，卻爲她拉下去。

「誓是不可以隨便發的，」她依偎在他懷裡，沒有想離開的意思：「其實，你們男人都很笨，總認爲女孩子不懂什麼，說眞的，你們要做什麼，我早就看出來了。」

「妳看出什麼？」

「你們要刺殺嬴政……用樊……」

他連忙蒙住她的嘴，她硬掙扎著含糊不清的說。

「隔牆有耳，妳不要亂說！」他在她耳邊細語。

她掙脫掉他蒙住她嘴的手，長吸一口氣說：

「你也很笨，你知道爺爺自殺的用意嗎？」

「他不是爲了向太子丹表示不洩密嗎？」

「到現在你還不懂？」她又緊抱著他大哭起來，斷斷續續的說：「爺爺……自殺……是爲了要我成爲你的……累贅，他並不想你去刺……去咸陽！」

這下輪到荆軻想哭了，老人眞是這樣想的嗎？

「我跟他生活了二十年，沒有誰比我更了解他了，我曾聽到他自言自語嘆息，不該一時高興，將你推薦給太子！」

「如今箭在弦上，不能不發，」荆軻輕拍著她因哭泣而顫動的背說：「我答應妳，只要這次能從咸陽回來，我會照顧妳一輩子！」

「我也答應你，我會等你平安的從咸陽回來，你要有什麼不測，我會跟著你死！」

「別說孩子氣的話！」他蒙住她的嘴，感到一陣恐懼。

但他再一想，二十歲剛出頭女孩子的話能當眞嗎？他眞的死了，也許她會記得他一段時間，直到她遇到另一個她喜歡的人……這樣想他就放心多了。

13

太子丹爲荆軻出使秦國，在易水畔長亭設宴祖道送行，參加送行的賓客有上千人。知道內情的全著白色袍帽。

荊軻穿著一襲白色儒袍，瀟灑倜儻；副使秦舞陽穿著一身紅袍，倒也威猛非凡。

荊軻隨著太子周旋於賓客之間，眼睛卻不斷在人叢中找人，別人都只道他心神不定，尤其是太子丹，更隨時注意他的神情。

只有跟在他旁邊的高漸離明白，他想見到的是兩個人——屠狗者和田喜。

高漸離昨晚從臨淄趕回來，告訴他屠狗者因有點要事必須處理，所以要他先回來報信，屠狗者隨後就到。

可是到現在仍然看不到他的人影，荊軻內心有點煩躁，但他表面上仍然需要和那些煩人的賓客敷衍。

另外一個是田喜，他明明知道她不會來，心裡卻好希望她會來，人的感情就是如此微妙。

宴會從中午一直拖到日頭偏西，烏雲漸漸密佈，天氣突然轉壞，風轉強，易水河上波浪滔天。

大家要說的客套話都已講完，荊軻不說走，送行的人當然不敢催他走。太子丹怕他改變了主意，急得臉色沉重，幾次想問又將話吞了下去。最後他實在忍不住了，他小聲對荊軻說：

「荊卿，日頭偏西，天色不早，假若你有什麼事，就派秦舞陽先走吧！」

荊軻本來心中就煩躁，一聽太子丹的話更是火上加油，他失去平日的冷靜，大聲叱喝太子說：

「太子用人就是這種用法嗎？只知道一往直前，抱著必死決心，而不顧事情的成敗，這只是匹夫之勇。荊軻不是猶豫不決，有所懼怕，而是要等一個人！太子既然這樣說，那我們就啓程罷！」

他轉臉對身邊的高漸離說：

「爲我奏一曲送別，我爲你歌一首惜離！」

高漸離也是白衣白帽作送喪狀。他取下背上的筑，就著一塊大石頭坐下，調好了弦，開始敲擊起來。

美妙的筑聲吸引了眾人的注意，大家全都停止談話，有的原地佇立，有的席地而坐傾聽。筑聲和遠處易水的浪濤聲相和，形成人籟滲和著天籟的美妙壯麗音樂，所有的人都聽迷了，包括太子丹在內，他們完全忘了送行這回事。

突然，筑聲由低迴而高亢，成爲變徵之聲，荊軻長吟而歌——

風蕭蕭兮易水寒，

壯士一去兮不復還！

歌聲重複兩遍後，眾人皆不自覺的跟著唱了起來，到了最後，每個人都淚濕了衣襟而不自知。

又突然，筑聲一轉爲慷慨羽聲，雄壯激昂，荆軻歌而和之——

生死聚散兮彈指間，
壯志不酬兮誓不返！

眾人仍然和著——

風蕭蕭兮易水寒，
壯士一去兮不復還！

荆軻領唱，眾聲相和，就在筑聲、歌聲、易水浪濤聲中，荆軻上了駟馬高車，後面有十數乘副車相隨，荆軻向太子一拱手，車隊緩緩走動，沿著易水邊向南而去。

高漸離仍然專心彈著筑，送行賓客依然在唱和。

太子丹佇立原處，直到車隊揚起的塵土散去。

他注意到，荊軻根本沒有回顧一下！

14

荊軻率領的燕國使節抵達秦都咸陽，在咸陽街頭造成轟動，萬人空巷，爭著看燕國求和的使節團。

燕太子丹事先以重金買通了秦王政寵臣蒙嘉，中庶子蒙嘉雖然官位不高，但亦爲名將蒙驁之後，所以和蒙武兒子蒙毅常侍在秦王政左右，非常受到寵愛。他向秦王政說：

「燕王實在是震懾於大王的神威，所以不敢以軍事和大王對抗，因而請求臣服，比照諸侯之位，獻納朝貢如同秦的郡縣，只要能奉守先王的宗廟就心滿意足了。但不敢自己來說，所以斬了樊於期的頭，連同督亢地圖，特派使節團送來。」

秦王政本來已等得不耐煩，聽到燕使節團已到，當然大爲高興，於是要太史擇定吉日，以最隆重的九賓儀式，會同各國駐秦使節和文武大臣，在咸陽宮接見燕國使節。而且命燕使節團帶著奇珍異寶貢品，匣裝的樊於期頭顱和督亢地圖繞行咸陽一周，再進朝殿。

荊軻捧著裝樊於期頭顱的匣盒走在最前面，因爲經過藥水的泡製，頭顱五官淸晰，鬚髮完整，兩眼橫睁，栩栩如生，似乎死得並不甘心。

秦舞陽則雙手捧著羊皮卷地圖，亦步亦趨的跟在荊軻身後走。

他們都未曾見過如此大的排場，數千名虎賁軍由午朝門一直排到朝殿門口，個個精神抖擻，盔鮮甲明，站在那裡動也不動，全像木雕泥塑的一樣。

殿門到陛下還有一大段距離，陛階兩邊站著文武百官和各國使節，殿前階下則是戟戰武士和佩劍郎中。

上千人在朝殿卻一片肅穆，連咳嗽的聲音都聽不見。陛階上殿中，端坐著年輕英俊、顧盼不可一世的秦王政，他微笑著等待荊軻和秦舞陽緩慢愼重的一步一步走向陛階。

荊軻彷彿沒有什麼感覺，可是十三歲就殺人、沒有人敢正視他目光的秦舞陽，這時卻心虛起來。他雙手發抖，似乎捧不起那堆沈重的羊皮卷；兩腿發軟，好像承受不起他高大身體的重量；臉色泛白，有點會隨時暈倒的模樣。

看到他這副樣子，殿下群臣和各國使節都暗暗奇怪起來，但是沒有人敢出聲發問。

等他好不容易一步一發軟的捱到了陛階前，秦王政也注意到了，他關切的問荊軻說：

「你那位副使怎樣了？是否突然生病，怎麼會全身打顫？」

荊軻笑著回頭看了秦舞陽一眼，上前行禮說：

「北蕃邊遠地區的鄉下人沒有見過什麼世面，如今突然看到大王如此森嚴壯偉的場面，所以嚇壞了，還祈大王不要見怪，以好完成今天的獻圖儀式。」

秦王政注視了一下荊軻，心中暗自一凜，這個使臣的眼神看似平和，其中卻蘊藏一股殺氣。當然，這是他的宮殿，警衛人員以千計，他還擔心些什麼！於是他微笑著對荊軻說：

「你將秦舞陽帶的地圖拿上來。樊於期的首級交廷尉驗收發落。」

其實，秦王政很想親自看看這名叛將的頭顱，他恨死了他，他對他不惡，眞想不到他膽敢留書罵他，他恨所有膽敢叛逆他的人。但是遠遠看到樊於期首級猙獰的樣子，他決定不看爲妙，省得夜裡又做惡夢。

荊軻雙手捧著地圖走上陛階進入殿上，跪在秦王席案前將圖呈上。

秦王政一一打開羊皮卷地圖細看，翻到最後一卷時，徐夫人匕首出現了，秦王還未來得及驚問，荊軻已右手搶著匕首，左手抓住了秦王政衣袖。陛下群臣及殿上近侍全都慌了手腳。

依秦制，殿上群臣不得攜帶兵器，殿下執兵器的郎中和武士，未奉秦王政親自下令不得上殿。如此一來，殿下群臣莫不目瞪口呆，不知如何是好，殿上近侍則膽小的走避，膽大的徒手上來博鬥。

秦王政用力一扯，撕破了衣袖，擺脫了荊軻抓他的左手。他慌忙間拔劍，但劍身長七尺，高到腋下，怎麼拔手都不夠長，劍拔不出來。

原來一般人佩劍是為了防身，但到了士大夫和大臣甚至王侯的佩劍，則成為象徵身份的裝飾，劍鞘鑲嵌的珠玉越名貴，劍身越長，象徵地位越高。秦王政志在天下，劍身比所有各國國君的都要長大。

近侍中有膽大上來護主的，全給荊軻一刀一個，見血立即抽搐而死，倒在殿上，就此沒有人再敢上來。

秦王只顧繞著大殿銅柱逃跑躲避，一直忘了召郎中上殿。幸虧殿上的御醫夏無且帶著一個皮革藥囊，他不顧死活，在秦王最危急的時候，用藥囊擋住荊軻的追擊，讓秦王政逃開喘一口氣。

三個人就這樣在大殿中玩起捉迷藏來，一個執著匕首追，一個拖著拔不出的長劍逃，另一個揮動藥囊上前阻擋一陣。

這時候，群臣中有頭腦清醒的開始大叫：

「王將劍揹到背上！王將劍轉到背上！」

這時候秦王政才被提醒，將劍推到背上，反手拔劍，總算將劍拔出來了。

長劍在手，秦王政膽子大了，他主動攻擊荊軻，第一劍就砍斷了荊軻的左腿。荊軻倒坐在地，依靠銅柱，用力將匕首擲向秦王政，不中！擊中一根銅柱，擊出一陣火星和一聲清脆卻驚心動魄的響聲。

荊軻知道事情砸了，他倚柱盤腿而坐，神色自若的笑著對秦王政說：

「算你的運氣好，我要不是想活著劫持你，要你訂定誓約，歸還各國土地，你早就死定了！」

秦王政一聲令下，殿下帶著兵器的郎中和武士紛紛上殿，搶著殺了荊軻，也逮捕了舞陽。

秦王政是首次遭到追殺，悶悶不樂很久。

事後檢討功過，分別賞罰，死者予以埋葬，從優撫恤家屬。

只有御醫夏無且特別賞黃金五千兩，秦王對群臣宣佈說：

「無且愛我勝過他自己的生命，所以他敢以藥囊和荊軻纏鬥！」

至於荊軻，他恨他，但他又無族可滅，就和嫪毒一樣，這些沒有根的亡命之徒，眞是防不勝防，什麼事都敢做！雖然他已死，秦王政仍然決定，五馬分他的屍，而且是當眾執行。

秦舞陽則在獄中絞殺。

15

荆軻刺秦王的消息立即傳遍咸陽，車裂示眾的佈告第二天也貼遍了咸陽城各城門口和市街各處。

這是自嫪毒車裂以來首次車裂人——而且是刺秦王的人。

雖然行刑是在午時三刻，但一清早通往北門刑場的街道就圍滿了人，有本城的，也有連夜由附近城市趕來的，他們都想來看這場熱鬧，但群眾談論的氣氛和車裂嫪毒當時大為不同。

當時群眾痛恨嫪毒，尤其是咸陽民眾，因為他的謀反，民眾死傷逾萬，半個咸陽化為廢墟。

但荆軻不一樣，他膽敢一個人帶著一把不到一尺的匕首，在成千的護衛、文武大臣和各國使節面前，公開的刺殺秦王，毫無一點恐懼。

於是整個咸陽城的人，這幾天無人不談荆軻。

如今在等著圍觀的民眾中有人說：

「可惜你們沒看見荆軻那副威風凜凜、有如天神般的模樣，他身高一丈有餘，頭如笆斗，眼賽銅鈴，一聲大吼就嚇破了秦王和群臣的膽，所以很久都沒人敢動，後來還是御醫夏無且在藥囊裡掏出藥丸，每人塞下一粒，眾人才恢復神智，所以夏無且的功勞最大，獨得黃金五千兩。」

旁邊有人反駁他說：

「老兄你錯了！荊軻生得英俊瀟灑，乃是衛國有名的美男子，怎麼會頭如笆斗，眼賽銅鈴？再說一吼就嚇破人膽，這也是不可能的事！」

先前那個人反罵他說：

「你這個人才是沒有頭腦，也不想想，要不是身高丈餘，哪有這大的膽子？眾人當時不是嚇破了膽，變成昏迷狀態，怎麼秦王不知道喊執兵器的郎中上殿，那麼多大臣也沒有一個人提醒他，就讓他和荊軻在殿上玩了半天貓捉老鼠？」

「不錯，不錯，還是這位老兄說得合理。」旁邊很多人附和。

也有人指著烏雲密蓋的天空說：

「這種大事發生，事先都是會有徵兆的。你們記不記得荊軻刺秦王的那天，天空晴朗，萬里無雲，突然靠太陽處出現一道彩虹，直貫太陽中心。」

「老兄，也說話要有點常識吧！」旁邊有人不贊成他的話：「不下雨，沒有水氣，哪來的彩虹？」

「你才是少見多怪，異兆，異兆，就是異於常情的一些兆頭嘛！那天我和很多人看見，還會是假的嗎？」剛才那個人爭論。

「不錯，不錯，那天我們也都看見了！」很多旁邊的人都異口同聲的說。

「這還不算奇怪，在鄉下還有人看到母馬生下帶角的小駒，那才奇怪！」又有人說。

「前幾天在渭水地方，天還下著黍雨，那才叫怪呢！」還有人如此說。

正在大家七嘴八舌說著閑話時，忽然聽到號角和鑼鼓聲，數十騎城卒正過來清道，將路中間的行人紛紛趕到路兩旁。

「荊軻要來了！」群眾中有人喊。他這一喊又造成萬人轟動，伸頭望著街那頭。

果然前面有百多名城卒騎在馬上帶路，後面是一部敞篷板車，荊軻的屍首直挺挺的躺在上面，欲斷的左腿也放在大腿的位置接上。

他亂草似的頭髮蓋住了整個臉，渾身上下的衣服都沾滿血跡。

「人死了都一樣，也看不出什麼美醜了！」路邊樓上有些女人在爲他嘆息。

敞篷車後面，又有一百多名城卒騎兵押隊，再後面跟著數萬人潮，而且每過一處街道，街兩旁的人就加入了這股人潮，因此越走人越多，人潮匯集得更洶湧。

人潮中間，各行各業男女老幼都有，特別多的是那些平日就在街上游蕩玩耍、半大不小的孩子。

不知道什麼時候由什麼帶頭，突然出現一股眾多童音匯集而成的歌聲——

風蕭蕭兮易水寒，
壯士一去兮不復還，
生死聚散兮彈指間，
壯志未酬兮身先捐！

歌調高亢，激越感人，歌詞簡單，容易上口，因此跟在後面的群眾不自覺的跟著唱了起來。

他們一遍一遍的反覆唱，連街道兩旁圍觀的百姓，以及在樓上窺視路上行人、談笑著品頭論足的大家閨秀，也全都停止調笑跟著唱起來。

於是，這股跟在車後看熱鬧的人潮，忽然變成了浩大的送葬行列。

16

在車裂嫪毒的同一地方，搭好了同樣的三座看台。

秦王政坐在居中的看台上，眉頭一直緊皺著，荊軻也許眞的將他嚇破了膽，這幾天他始終覺得昏昏沈沈，天天晚上做惡夢。

他恨荊軻，不只是爲他想刺殺他。站在不同的立場做不同的事，他對荊軻不動聲色的勇氣，潛意識中有著敬佩。他恨他的是讓他在群臣面前丟臉，使得他像一隻被大貓追逐的小鼠，而不像一個應該遇事雍容鎭定的君王。

嫪毒進攻王城之亂，他親征成蟜反叛之後，以及李牧大敗桓齮，他親率大軍增援，歷次所表現的沉著從容，連這些身經百戰的老將都感到心折，但現在十幾年所建立的形象，卻被荊軻這個匹夫用一把匕首全部摧毀！

「我恨他，雖然他死了，我還活著；雖然他現在像條死狗那樣躺在地上等候車裂，我依然是秦王，在眾臣的前呼後擁下來看他受刑，但在眾人的口中，在這些圍觀著的臉上，明白的顯示出他是英雄，我是懦夫！」秦王政在心中想。

「爲什麼當時我會嚇得連劍都拔不出？連召郎中上殿都忘記了？」現在他不斷反覆在心

中間自己這個問題——這幾天他不停的在問這個問題，似乎沒有心情再處理別的事。

午時正響起號角，表示行刑的時候快到了。因爲荆軻已經是個死人，不會走動，監斬官廷尉李斯只得親自到場中驗明正身。

他下得看台，騎上一匹黑馬，由劊子手牽著馬繮來到刑場中央，他沒下馬，只由劊子手拉著荆軻的頭髮，讓他看了看臉。

「不錯，」李斯點了點頭，沉聲說：「準備行刑！」

劊子手應了一聲「是」，命手下將荆軻屍體的頭和四肢緊綁在五部車後的吊索上。

李斯快馬回到監斬台，派傳騎向秦王政報告：「行刑事宜已準備好。」

秦王政看看圍擠在刑場四周的民眾，以及烏雲密佈的天空，他不免想起上次車裂嫪毒的場面。他敏感的發覺，圍觀的民眾較上次更多，可是剛才進場的時候，百姓喊萬歲的聲音似乎沒有上次響。

午時一刻，第一通鼓擂起，按秦律，可容許死犯家人活祭死者，並作最後遺言。

連秦王在內的所有人，全都認爲已死的荆軻不會有家人故舊出現，但出乎所有人的意外，一個年輕少女穿著一身素服，提著祭籃，從人叢裡飛奔出來。

「女人，又是女人！」秦王政在心中暗想：「上次嫪毒有女人，今天荆軻也有女人敢犯我的大忌！」

他命近侍飛馬去查，看是荊軻的什麼人。

這名素衣少女不理近侍的問話，含著眼淚點著香燭燒紙，她哭著對荊軻的屍體說：

「荊哥，黃泉路上寂寞嗎？田喜很快就來陪你！」

這時候，突然從人堆裡又跑出一個身材矮小、臉上虬髯橫生的男人。他一上來就撫屍痛哭。

「荊軻，你應該再等三天的！」

騎在馬上的近侍喝問：

「你說什麼？拿下！」

幾名劊子手要上來抓人，這個蓬頭亂髮的矮人哭著對田喜說：

「妳要陪他，妳先走，後死責任重，我留著性命，還有更要緊的事要做！」

他轉哭爲笑，三轉兩轉就擺脫要抓他的人，飛奔入人海裡，一下子就見不到了身影。

田喜沒回他的話，只是流著眼淚爲荊軻整理臉上的亂髮。等這些人抓不到屠狗者，再要回來盤問她時，她突然由袖口中取出一把短劍，回手就刺進心口裡，口中還在柔聲的說：

「荊哥，我來了！」

秦王政遠遠看去，不知發生了什麼事，再命一名近侍飛馬查看。
這時又擂起了第二通鼓，送別家人該離場了，眾劊子手看著緊擁抱荊軻屍體的女屍，一時不知該怎麼辦才好。
等兩名近侍飛馬回來報告，秦王政突發狂怒，厲聲高喊：
「傳廷尉行刑！」
「啓稟陛下，午時三刻猶未到。」侍立身後的趙高提醒他。
「傳廷尉行刑，聽到沒有？」秦王政對兩名猶在馬上的近侍怒吼。
近侍臉色蒼白的飛馬傳知李斯。李斯猶豫了一下，兩名近侍同聲說：
「再不行刑，大王恐怕會殺掉你！」
「行刑！」李斯丟下竹牌。
劊子手應了一聲，五部車上御者一起鞭馬，馬奔向五個方向，將田喜的屍體也拖出很遠。
未到午時三刻行刑，秦王政又創下一個先例。
秦王政未作停留，立刻啓行，他的車隊過處，只有前面幾排人跪下，喊萬歲的聲音也沒來時響亮。在他車經過後，忽然人群中響起歌聲——

風蕭蕭兮易水寒，
壯士一去兮不復還，
生死聚散兮彈指間，
壯志未酬兮身先捐！

一遍又一遍，聲徹雲霄。

「他們在唱什麼？」秦王政不解的問御車的趙高。

「頌讚大王的歌，」趙高撒謊：「前些日子有人在街頭教孩童唱，大家很快都學會了。」

這句是眞話。

「難怪他們喊萬歲聲不大，原來要以歌聲代替！」秦王政滿意的閉上眼睛養神。

第18章

統一天下

1

將軍王翦、裨將辛勝和騎卒都尉李信帶著數十名護衛，在一處高地上觀察敵情。

只見大約五萬燕代聯軍背著易水列陣，黃色的是燕軍，紅色的是代軍，倒也旗幟鮮麗，壁壘分明。

王翦望著敵軍的陣容皺皺眉頭說：

「敵軍人數不多，但排的是背水陣，我軍攻擊時，敵人一定會拚命，這次戰鬥傷亡一定會很慘重。二位將軍有什麼看法？我們這次作戰主要目標乃是要擒殺燕太子丹，主上爲了荊軻行刺的事，恨死了他。」

「依末將的判斷，燕代聯軍的作戰構想，不外乎是以少數兵力部署在易水以西作爲橋頭堡，而大部兵力部署在易水以東上谷至薊城之線。假若我軍攻擊失敗或是傷亡過重，燕代聯軍就會乘勝渡河追擊；假若我軍殲滅當前敵人，傷亡也會相當大，他們可以乘我半渡而攻之，亦可給我打擊後退保薊城。所以末將建議這一仗要速戰速決。」

辛勝五短身材，卻是短小精悍，一雙眼睛特別銳利有神，他奉命率領精兵十萬增援王翦，並擔任王翦的裨將，合力攻燕，一定要將燕王父子提拿到。

王翦點點頭，又問李信說：

「李將軍的看法呢？」

這時的李信和當年在桓齮麾下時已大不相同。第一，他已身經大小戰役數十，率領一支步騎聯合部隊，縱橫在趙太原及雲中之間，負責掃蕩趙國的殘餘部隊，可說是威風八面，用兵神速的名氣已傳遍天下。另外他年紀稍長，成熟多了，不再像先前的孩子氣，已逐漸形成大將風範，在秦王政眼中，他是王翦最可能的接班人。

聽了王翦的問話，他笑了笑說：

「辛將軍的話非常有理，但末將的看法稍有不同。」

「李將軍有何高見？」辛勝見他年輕職卑，卻要跟他唱反調，有點不高興的問。

「說來聽聽！」王翦的想法和辛勝不一樣，他知道李信常有獨特超人的見解。

「依末將的看法，代軍大約十餘萬，燕軍在廿萬以上，雙方兵力總計在三十萬以上，尤其他們靠易水作屏障，以逸待勞，假若同心協力和我軍進行決戰，我軍兵力不到三十萬，勝利不見得是百分之百。」

「依你之見呢？」辛勝更爲不悅的說：「別忘了秦軍一向是以一勝三！」

「料敵從寬，視情況而定，如今燕代聯軍五萬人列背水陣，辛將軍是否能率兩萬人加以擊潰？」

「……」辛勝爲之語塞。

「所以我們要雙管齊下，以絕對優勢兵力殲滅易水之西的這五萬人，造成震撼以後再挑撥燕代之間的合作，告訴代王我們要的只是燕太子丹，並不願與他爲敵。另外依末將判斷，燕王並沒有固守薊城的打算，他的作戰構想是，勝則在易水決戰，敗則保住實力退守遼東，在那裡既有遼水、大海作三面屏障，而且還可以聯合東胡。」

王翦沉思了半晌，最後說：

「就這樣吧，辛將軍聽令！」

「末將在！」

「你率所部十萬圍殲正面之敵，待命進取薊城！」

「得令！」

「李將軍！」

「末將在！」

「派你負責你所建議的任務，離間代王，捉拿燕太子丹。你需要多少人馬？」

「三千騎卒就夠了。」李信自信十足的笑著說。

「三千？軍中無戲言！」王翦看著這位年輕勇將搖搖頭。

「願立軍令狀！」李信嚴肅起來。

「辛將軍，明天拂曉開始攻擊！」

「是！」

第二天拂曉，秦軍對燕代聯軍採取圍殲攻擊。

先是燕代軍無處可退，奮力死戰，兩軍接戰三天兩夜，殺聲震天，燕代軍傷亡雖大，秦軍也損失不輕。

忽然燕軍中傳出謠言，薊城方面燕王和太子丹已率領精兵走遼東，燕代聯軍士氣一下落到谷底。

第三天早上，易水上游忽然飄下多艘無人空船，再加上一些東岸運補的船隻抵達，這下求生有路，燕代聯軍不顧殺敵，紛紛奪船逃走，甚至爲了奪船互相殘殺。

五天以後，易水之東燕代聯軍被殲殆盡，兩萬人死在易水中，河水爲之染紅；眾多屍體堵塞在一些支流處，河水爲之不流。

王翦乘勝渡河追擊，包圍了薊城，只花了不到一個月的時間就攻克。他發現李信判斷完全正確，燕王和太子丹早已率精兵東走遼東，但途中遭到李信的追擊，太子丹率部份軍隊逃入衍水地區。

2

李信趁秦先鋒部隊和燕代聯軍激戰之時，率領三千騎卒由上游水淺處渡河，並順帶解決了代軍的運糧樓船軍，將空船順著河水放流到下游，又做了擾亂燕代軍軍心的重大用途。

他派使者送信給上谷的代王說：

「秦攻燕只爲燕太子丹人頭，君王何苦爲他人替死？今燕代易水之西聯軍全部就殲，唯君王留意焉！」

代王嘉接到李信來書，和群臣商量以後，派使者去見王翦，要求解除燕代聯盟後，秦軍保證不再攻代。得到王翦的承諾後，他又寫了封信給燕王喜：

秦所以猶追燕急者，以太子丹故也，今王誠殺丹獻之秦王，秦王必解，而社稷得以血食。

燕王喜得信與群臣商議以後，爲了顧全大局，也先派使者得到王翦不再攻遼東的保證，然後忍痛犧牲，派人送信給太子丹說：

「爾派荊軻刺秦，事先寡人不知，現秦王政急欲得兒首級，願我兒善以自處！」

看完父王的信，太子丹內心慚愧，淚流滿面的問使者：

「父王政躬康泰否？」

「主上身體尚佳，只是李信追擊急迫，而秦軍攻佔薊城後，現已揮軍東來，有進攻遼東模樣，大王每天睡不安枕，食不知味！」

「丹罪孽深重，禍及父王社稷，衷心慚愧！」太子丹長嘆一口氣說。

「太子還有什麼話要交代臣轉呈大王的？」使者語帶催逼。

「沒什麼了，心情不佳，難以提筆書信，你就轉呈大王，秦王政狼子野心，不可輕信！」

說完話，太子丹整整衣冠，危坐於席案前，拔出佩劍自刎而死。

使者及各近侍掩面哭泣，但不得不割下他的首級交使者帶回。

王翦得到李信帶回的太子丹首級，果然退兵薊城，不再進逼，然後派專使將首級送回咸陽，報告秦王任務達成，並說這次功勞李信該屬第一。

秦王政得到太子丹的頭雖然高興，但對王翦獨斷專行，向燕王和代王提出不再進攻的承諾，總是有點耿耿於懷。不過，他自己交代王翦的任務是取太子丹的頭，他已完成了任務，當然他無話可說。

於是他下令召回王翦和李信，薊城方面由辛勝負責。

王翦當然感覺得出秦王政對他的不滿，但他不敢有所表示，樊於期就是最好的前車之鑒。

3

秦王政在南書房接見王翦和李信，並由王后親自招待，這是武將中從未有過的殊榮。

在談論了一些燕代作戰的細節後，秦王政忽然對王翦說：

「恭喜將軍在燕地建功，而更值得慶賀的是令郎王賁將軍攻楚，也建立了奇功，連拔十城，如今都收作了秦地，真是將門虎子，雛鳳聲清不輸老鳳！」

王翦連忙避席頓首謝恩。

「寡人這次召兩位將軍回來，乃是有事於楚，想根本解決掉楚地的問題。二位看看滅楚需要多少兵力？」

兩人沉默，在心中盤算很久。

秦王先問王翦：

「王將軍估計要多少？」

「楚國地大物博，民性強悍，再加上楚懷王入秦，客死秦地不得歸國，楚人都很恨秦國，所以有所謂的『楚雖三戶，亡秦必楚。』的歌謠流傳。因此要攻取並作善後，非六十萬軍隊不可。」

秦王政聽了他的估算只笑了笑，沒有表示意見。他又轉問李信說：

「李將軍估算要多少？」

「二十萬就足夠了！」李信意氣風發的說。

「二十萬？」王翦驚呼。

「不錯，二十萬，而且是分兩路進軍，一路取鄢郢，一路攻平輿，然後會師於城父，大江以北將不再有楚軍蹤跡。整頓一些時日後，再東攻壽春，捉拿楚王，亡楚是沒有什麼問題的。」

「王將軍看怎麼樣？」秦王政轉問王翦。

王翦含笑不語。

「李將軍果然勇壯，寡人就按你的構想，派你和蒙恬各領軍十萬，分兩路攻楚，看誰先捉到楚王！」

「王將軍有什麼看法？」秦王政轉向王翦笑著問。

「英雄出少年，臣無話可講。」王翦如此回答。

秦王政看到王翦鬢邊點點白髮，心中暗嘆年華易逝，轉眼十多年過去，王翦又呈老態，老爹的話不錯，他必須加速培植將才。

同時，王翦不乘勝滅掉燕代的疙瘩也在他心中出現，他長嘆一口氣說道：

「王將軍眞是老了！已經失去往日旺盛的企圖心。」

王翦也看得出秦王政心中的不滿仍在，他決定乘機下台，免得日後還會和他發生衝突。他避席頓首請求：

「請大王准許臣回頻陽故居養老！」

「王將軍對寡人剛才那句話生氣了？」秦王政不悅的問。

「臣怎麼敢？」王翦依然俯身稟奏秦王政：「老臣長久在外，歷經風霜，四肢關節患有風濕痛，發作起來痛苦難以忍受，懇請大王賜臣骸骨歸鄉！」

「將軍還未到告老回鄉的年齡，」秦王政笑了笑說：「既然將軍有病，回鄉養病即可，病好了，寡人仰仗的地方還多！」

正說話間，近侍來報，丞相及國尉得報，韓地新鄭地區反叛，殺害了秦所派地方官員。當地駐軍太少，鎮壓不住，而反叛的主要原因是受了魏王的挑撥，新鄭和魏都大梁只隔了一條河水（黃河）。

秦王政皺皺眉，要近侍傳命丞相、國尉及有關大臣，晚間在議事殿開會討論。接著他又轉向王翦問：

「對新鄭反叛的事，王將軍有什麼意見？」

「依老臣看法，魏王留在大梁，無論我們今後伐楚或是征齊，他會是心腹大患，不如乘鎮壓新鄭反叛之際，一舉將其消滅。」

「將軍所見與寡人不謀而合，將軍有意爲寡人效勞否？」秦王政拊掌大笑。

「老臣已乞賜骸骨蒙准！」王翦恭敬的說。

「但是……」秦王臉上現出不愉神色。

「臣倒有一個建議。」李信在一旁啓奏。

「哦，你說說看。」秦王臉色立刻變得和悅。

「大王既命臣與蒙恬領軍伐楚，王賁軍可以回師新鄭，事畢後再攻大梁捉拿魏王。」

「王將軍看怎樣？」秦王還是不想放過王翦。

「李將軍計策甚妙。」王翦誠懇的說。

「就這樣辦了！」秦王政擊案哈哈大笑。

4

王賁由楚回軍，很快就平定了新鄭的叛亂，屯兵河溝西，準備開春圍攻大梁。

二十一年冬，魏國全地下大雪，雪深二尺五寸。

二十二年開春，冰雪溶化，河水高漲，河道也就變得比往年寬闊得多。

王翦告老歸鄉，在頻陽老家休息了一段時間，總是放心不下年輕就獨當一面的兒子，於是他輕車簡從，乘著一部安車，帶著一個家人來到王賁軍中。

王賁正準備發動春季攻勢，見到戰場經驗豐富的名將父親來了，當然是喜出望外。

那天，他們父子和幾個幕僚，帶著數十騎護衛，在一處高地視察地形，遠遠的看到大梁城內，高樓櫛比鱗次，家家冒著炊煙，好一副繁華太平景象。

王翦想到再過不了多久，這處物阜民豐的城市就會變成廢墟，忍不住有點感慨。再看看高大、英挺、年輕的兒子豪氣干雲的樣子，不正是自己年輕時的鏡中影子？不過，他也看到兒子緊皺眉頭和幾位幕僚指手劃腳，看著地圖在爭論，似乎有著難以解決的問題。

「王賁，」他喊了一聲：「攻取大梁有什麼困難嗎？」

「父親。」王賁答應了一聲，他要幕僚繼續討論，自己走到父親身邊。

「有什麼困難嗎？」王翦又問：「是不是攻城兵力不夠？」

「十萬軍隊圍城應該是綽綽有餘了，但大梁城堅固天下聞名，再加上城內糧食一直囤積充裕，曾有過圍城兩年不能拔的紀錄，所以孩兒正爲這在擔心。」

「十萬軍隊攻大梁城是嫌少了點，不能在短期間攻下，楚國可能出兵攻我側背。」王翦點點頭說。

「再加上李信和蒙恬已出兵楚地，聽說進展順利，我要是圍城數月不下，就會遙落在他們後面，這個臉可丟不起！」王賁有點孩子氣的說。

王翦皺著眉頭遠眺堅固的大梁城和白浪滔天的河水和濟水，一時沒有說話。

「今年河水好大！」身後一名執戟的護衛讚嘆的說。

王翦心念一動，再看看大梁三面環水的地形，的確是處易守難攻的形勢，何況後面還有高丘和山陵形成鼎足犄角，可以互相呼應支援。

忽然他念頭一轉，計上心來。

「王賁，大梁要靠力取，的確很困難，暴師日久，再遭楚的夾擊，連後退的路都沒有！」

王翦加重語氣說。

「孩兒也是如此看法，所以拿不定主意。」

「為父倒有一個主意……」

「孩兒也想到一個主意……」

「那我們先不要言明，各人在地上劃字，看看我們父子是否心意相通。」王翦阻止王賁說下去。

他們各自轉身在地上寫好字，然後再轉身看對方寫了什麼。

王賁寫的是：「水攻！」

王翦寫的是：「決堤！」

父子拊掌大笑，但隨即又不禁淒然。

「這要死多少人，毀滅多少房屋田地！」王賁嘆口氣說：「這也就是孩兒久久不能下決心的原因。」

「一切為戰勝，管不了這樣多了！」王翦也長長的嘆了一口氣。

5

王翦不忍見到河水淹沒城市田園的慘狀，提早賦歸回秦國去。

王賁下令六萬兵卒，分別挖掘河溝堤防，不到幾天工夫，河堤挖通，泛濫的河水像萬馬奔騰一樣，三面湧向大梁城，數百里範圍內的農村田園全都變成澤國，無數的生命和財產全埋葬水底。

大梁城水深逾丈，民衆都爬在屋頂上嗷嗷待哺，而且水勢還不斷上漲，幾十萬居民無以爲炊，這時候貧富不分，沒幾天全斷了糧。

魏王假含著眼淚召開御前會議，唯一能維持平日美食的地方，大概也只有王宮了，地勢高，樓台亭榭也高，但宮殿之間的連絡都要靠舟艇了。

有些吃飽了肚子的大臣和武將又再豪氣大發。

「臣不甘心，眞的不甘心，城內還有十萬精兵，囤有三年糧食，不發一箭，不折一兵，就這樣投降！」有位文官如此喊。

「十萬精兵全站在屋頂上了，三年糧食也早餵了魚蝦，再過幾天，大人恐怕像今天這樣喊也喊不動了！」一位武將取笑他。

衆人議論紛紛，有人差點要打起來，衣服濕了沒得換，想想開完會後無處休息，家人都在屋頂上餓肚子，大家再也不管什麼朝儀不朝儀！

最後還是魏王假哽咽著下結論：

「寡人不德，罪及臣民，如今只有出城投降一條路了！」

於是魏王假出降，魏國正式滅亡，秦盡收魏地。

王賁功大，秦王讓他在韓魏獨當一面，無形中成了不封的君侯。

但大梁地區家家都傳誦著罵王翦父子的歌謠——

淹我城池兮我無居，
沒我田園兮我無食，
無食無居，
何去何從？
天道好還，
疏而不漏。
哀爾父子，
永絕其後！

6

秦王政二十二年，李信及蒙恬率軍二十萬南伐楚。李信攻平輿，蒙恬攻寢城，大破楚軍。

李信又攻郢城、鄂城，一路勢如破竹，未免年輕氣盛，有了驕意，他笑著對部眾說：

「王翦將軍曾言楚軍強悍，依我看並不怎麼樣，這幾個月來殺得都不過癮，蒙將軍那裡彷彿也沒打過什麼硬仗，等到我和他會師城父，直搗楚都壽春，才教楚人知道我李信的厲害。」

「將軍不可太過輕敵，」他的一名部將說：「項燕所統率的楚軍主力尚未趕到，否則會有一場惡戰。」

「楚軍早被我們殺得聞風喪膽，百里以內都沒有敵蹤了。」李信騎在馬上哈哈大笑，轉頭問旁邊的騎卒都尉：「你的搜索部隊可發現到敵情沒有？」

「末將兩翼搜索部隊遠至方圓百里，都未發現敵蹤。」騎卒都尉恭敬的回答。

李信笑著對剛才那位部將說：

「你看怎樣？楚軍聽到我們來，他們早不知道跑到哪裡去了。」

「這是將軍的英名！」先前那位部將在馬上恭身說。

十萬大軍分作三路在崎嶇的山地艱苦而行，尤其是騎兵和負載軍品的馱馬走得更是辛苦。

他們來到一處山麓，遠遠已看得見城父城牆。探騎正好來回報，城父楚軍早已撤走，乃是一座空城，城內父老聽說秦軍來到，紛紛準備勞軍。而平輿方面蒙恬軍的探騎也已抵達城父，不過主力還在六十里以外，正在向這裡前進中。

「看吧，事先我就向蒙恬說過，我會比他先到！」李信得意的說。

他和眾部將下了馬，檢視在山區中行走的部眾。

「將軍，部隊今晚在何處紮營，進城還是在城外？」裨將前來請示：「部份進城，部份在外紮營，警戒比較容易些。」

「今晚只派少數前站部隊進城，要城父民眾準備迎接事宜。行軍多日，軍容不整，要楚國民眾見了有損軍譽，今晚在山區紮營，明日整頓好後，以入城式進城。」

「那現在末將就傳令各部，就地築壁宿營。」裨將秦勝說完話要走。

可是李信叫住他說：

「目前見不到敵蹤，部隊行軍勞累，而且明天天一亮就要進城，築壁之事免了吧。」

按秦軍律，軍隊休息宿營，那怕是只住幾個小時，都要伐木爲壁，設置障礙物，以防敵人偷襲。

秦勝本想奉勸，再一想只宿一夜，能免就免罷，同時一路上來，的確未發現敵情。但睡到半夜，突然鑼鼓喧天，號角聲遍地，漫山遍野，不知殺出了多少楚軍，他們都黑布蒙面，左手臂纏有一塊白布，見人就殺，見車子就燒，遇到馬匹就砍斷繮繩讓牠們亂跑。

秦軍從睡夢勞累中驚醒抵抗，展開一場混戰，有的潰散向西而逃，正好又遇上楚軍埋伏，大殺一場，又再折回來，這樣亂衝的亂街結果，秦軍完全失去指揮連絡，天明後所剩的已不到三萬人，退據幾個山頭抵抗。

李信一開始還希望蒙恬來救，最後得到消息，蒙恬軍也在三十里路一處山隘路遇伏，但因秦軍戰鬥力強，經過一天一夜的衝殺後，終於衝出包圍來救。

楚軍採取的戰術是白晝包圍休息，秦軍困在山頂上缺水，日曬雨淋苦不堪言。到了晚上，楚軍又來衝殺一陣，天快亮時又撤走。

這樣纏戰了三天三夜，山頂秦軍只剩下一萬多人。

蒙恬趕到來救的那個夜裡，楚軍突然撤走，似乎在這些群峰重疊的山區失蹤了。

事後檢討才知道，項燕所率的精兵不過五萬人，他們是緊緊跟隨在李信大軍後面，三天三夜都未宿營，只是略作休息就又前進，最後李信部隊快抵達城父時，他們比李信還早到幾個小時，這裡是他們的老家，地形當然比李信他們熟多了。

蒙恬收拾殘兵進駐城父，剩下不到七萬人，李信率領的十萬部隊，只餘下幾千人，十名都尉去掉七個。

當晚，李信在城父將軍府橫劍自刎，留下的血書是：

「愧對主上和王翦將軍！」

7

秦王政接到這個消息，先是不敢相信，繼之是大怒，砸碎了御案上所有的東西，最後是仰天兩眼含淚，喃喃自語：

「驕者必敗，但是寡人養驕了他，罪過全在寡人！」

一直靜靜在旁看著他發脾氣的王后，這時才柔語安慰他說：

「敗已敗了，李信也已引咎自刎，假若每位國君都像你這樣輸不起，秦國怎能擴展成今天的這個局面？」

「來人，」秦王政沒回答王后的話，而是召進近侍：「你要趙高準備車駕！」

「你要上哪裡去？」王后驚問。

「去頻陽見王翦！」

「今天天色已晚，要去明天也可以，不然可派人傳他來。路途遙遠，不通知突然而去，爲臣者會驚惶失措。」

「寡人不去，這兩晚也會失眠，錯在寡人，自當到王將軍府上謝罪。」

秦王政輕車簡從到達王翦府上時，已是第二天深夜。

王翦早已得到城父秦軍大敗的消息，所以得到先遣近侍來報，秦王隨即會到，他也並不驚訝。他換好了朝服，打開中門，帶著闔家大小在大門跪接。

秦王政一下車，就拉著他的手將他扶起，一直到進到密室都未鬆過手。

在坐下以後，秦王政先開口道歉：

「李信在楚大敗的消息，將軍想必知道了。」

「老臣在家養病，對外界事情已經隔膜，只聽到傳聞，對事情始末不太清楚。」王翦裝胡塗的說。

「將軍不必再裝胡塗了，」秦王笑著說：「寡人前次不用將軍之計，果然讓李信這個年輕人喪師辱國，如今得到消息，楚國要集中全力向西進兵，將軍雖然有病，難道也眼看著國家危急不管，看著寡人憂心無策也不問？」

「陛下，老臣實在是老病不堪，頭腦整天昏昏沉沉，一點都不管用了，還是請大王另選良將，以免誤了國家大事。」王翦避席頓首辭謝。

「將軍，寡人已一再道歉，難道眞的要寡人叩頭謝罪？」秦王正色說：「將軍就不要再說什麼老病了，前次是寡人不對。」

「唉，」王翦回座嘆口氣說：「大王要是實在無人可用，一定要老臣勉效犬馬之勞，臣要的兵力仍然是六十萬。」

「當然，當然。」秦王政高興的回答。

王翦連忙命老妻爲秦王政準備佳處及酒菜宵夜。

兩人在談了伐楚計劃一段時間以後，王翦突然呈上一張淸單，秦王政先當是什麼作戰計劃，但拿在手中一看，不覺啞然失笑，原來是一份房地產表，上面列明十多筆咸陽附近的美宅良田。

「將軍到現在還怕窮嗎？歷來戰功，寡人就贈賜過不少。」秦王搖頭不以爲然的說。

「爲大王將，再大功勞亦無法封侯列土、享受食邑，老臣不能不爲後代子孫著想。」王翦也一本正經的回答。

「這是小事情，寡人會交代專人辦理，目前將軍應操心的是伐楚的作戰大事！」秦王政笑著說。

「在大王是小事，可是在老臣卻是子孫萬世基業的大事！」王翦認眞的說。

「好吧，寡人回咸陽立刻命人辦理！」秦王政臉上顯出些許無奈。

一個月中，秦國完成了六十萬大軍的徵集和調配，這是各國所沒有的超高效率，應該歸功秦王政兵役制度的改革。

在吉日良辰，秦王政親自主持了拜將大典及閱兵，然後在灞上設宴祖道，爲王翦送行，並派蒙武爲裨將。

王翦臨行還提醒秦王政說：

「大王不要忘了對臣的承諾！」

在旁邊的大臣你看我，我看你，不知道他們君臣之間打的是什麼啞謎。

「將軍請走吧，寡人不會食言。」秦王政微笑。

「那老臣就完全安心了！」王翦顯得非常認眞鄭重。

秦王政忍不住仰天哈哈大笑。

王翦率兵出得函谷關，還接連五次派使者覲見秦王政，除了報告軍情外，特別附上請求那些美宅良田的信。

知道這件事的一些王翦幕僚說：

「將軍這種要法未免太過份了吧？」

王翦輕撫著鬍鬚說：

「不算過份，各位都明白，主上多疑而不相信別人，尤其是在外領軍作戰的大將。如今秦國可說是將全國的軍隊都交給了我，我要是不擺出貪小利的姿態，多請美宅良田爲子孫著想，秦王很難去掉猜忌之心！」

眾幕僚聽到他這番話，才知道王翦的用心良苦。

8

秦王政二十三年。

王翦大軍分成兩路，分別從函谷關及武關而出。

王翦主力一出函谷關抵達楚國方城附近，就得到消息，楚國大軍五十萬正列陣等候進行決戰。

麾下部將個個緊張，摩拳擦掌，準備接戰，王翦卻下令加強防禦工事，多設障礙物，注意警戒，不准擅自迎敵，違令者斬。

於是四十萬大軍整天留在壁壘內，飽食嬉戲，任楚軍如何挑戰辱罵，秦軍就是不出壁壘應戰。

王翦閑來無事就是和幕僚下棋、喝酒、聊天。

過了一段時間，那天王翦正和平日一樣，和幕僚下著棋，他突然命兩名侍衛：

「你到外面去走一趟，看看士卒們正在做些什麼？」

侍衛騎馬分別到各營地看了一遍回來。一名侍衛稟告說：

「大多數的士卒在比角力和投石超距的遊戲。」

另一名侍衛也說：

「屬下見到的情形也差不多，士卒們飽食終日，先前都因行事疲憊，整天只想著睡覺洗澡。接著就是大吃大喝，閑著聊天，如今全都精力恢復，閑著無聊，爭著做各種比賽運動。」

「士氣可用了！」和王翦對面下棋的幕僚說。

「我軍的朝氣已生，但敵人的暮氣猶未至，而且我也正在等蒙武那邊的消息。」王翦微笑說。

「原來將軍按兵不動有這樣大的作用！」另一位觀棋的幕僚恍然大悟。

「兩位誰說說看，老夫的作用在哪裡？考驗一下誰眞能識破老夫的玄機。」王翦撫鬚點頭。

「將軍虛張聲勢乃是要吸引楚國全國兵力至此進行決戰，因此敵後方空虛，蒙將軍乘虛殺往楚都新郢（原名壽春。考烈王二十二年徙都壽春，按原都城郢改為郢，一般民眾為與舊都郢城區分，都稱之為新郢）。」對棋的幕僚說。

「先生只猜中了一半。」王翦點頭稱讚。

「將軍到底藏了什麼玄機？」觀棋的幕僚問。

「虛虛實實，虛可變實，實亦可轉虛，老夫計劃中的決戰點仍然在我們這裡！」王翦高深莫測的說。

「願聞將軍詳細解說，以開茅塞！」兩個幕僚異口同聲的說。

「將楚軍全力吸引在此，而以蒙武二十萬部隊乘虛攻入楚東，楚軍見我不應戰，而蒙武軍勢若破竹，他們會誤認蒙武軍才是主力。楚軍這次戰略也是採取消滅敵人有生戰力為主，而不計較城市土地的得與失，所以極力求戰。但見我不應戰，而蒙武軍已至楚東，他們必會引軍向東，對蒙武軍攻擊，以求決戰，卻想不到決戰點仍然在此！」

「將軍真是神機妙算！」對棋的幕僚說。

「那我們要何時才應戰？」觀棋的幕僚問。

「等主客易勢，攻勢權操在我們手上時再說。」王翦胸有成竹的說。

正談話間，中軍來報，蒙武軍中使者求見。

軍使帶來戰報，蒙武軍已抵達安陽，現正整頓休息，數日後向新郢方向進發。

接著探騎來報，敵軍正拆除帳篷，整理行裝，似有撤退模樣。

沒過多久，全軍都尉以上將領集體求見，全都認爲出戰機會已到。但王翦依然搖著頭說：

「如今出戰，正好合了敵人積極求戰的本意，待他們眞正撤退時再說。不過現在你們可以各回本部，準備拔營出戰，待命行事。」

各都尉回營一經宣佈準備出戰，全軍雀躍歡騰。

入夜，楚軍果然前軍改作後軍，就地掩護，其餘部隊借著夜暗，有條不紊的向安陽前進。王翦派出五萬騎兵繞道先行，迎擊楚軍先頭部隊，再以部份兵力圍殲楚掩護部隊，其餘則分成多路追擊。

楚將景春遭遇秦騎卒下馬埋伏，誤判蒙武軍已到，兩面受到夾攻，乃下令向南轉進，用意在退保新郢。想不到經過安陽附近渡過汝水時，在安陽的蒙武軍主力已經趕到，兵力雖較景春爲少，但休養多時以逸待勞，士卒莫不奮勇爭先。

雙方接戰七晝七夜，殺聲震天，這時追擊的王翦主力也已趕到，前後夾擊，汝水全染成紅色，很多支流處都為屍體所壅塞住，河水為之不流。
五十萬楚軍只剩二十萬不到渡過汝水，退保新郢。
秦軍乘勝追擊，進圍新郢。
三個月後，新郢城破，王翦軍生俘楚王負芻。
楚名將項燕在淮南地區擁立昌平君為楚王抗秦。
此時，秦佔領了楚自陳城至平輿的全部淮水以北地區。
秦王政親至前線勞軍。

9

秦王政二十四年八月。
王翦、蒙武率大軍四十萬和昌平項燕二十萬楚軍隔著淮水對峙。
那天，王翦和蒙武在淮水支流北岸觀察地形，只見雖只一水之隔，卻是自然天塹，很難渡過，而且楚軍在可能渡河口都設有層層水中障礙物，阻止船隻和人馬登陸。
「蒙將軍，你對這次渡河作戰有何意見？」王翦問蒙武說。
「一切照原計劃，末將沒有什麼意見。」蒙武恭敬的回答說。

按照他們原訂計劃，蒙武在昌平正面渡河，以十萬兵力牽制昌平正面約十五萬兵力，而三十萬主力在離昌平二十里的石磯渡河，再行進圍昌平城。

「小蒙將軍，你又有什麼意見？」王翦順便問一下蒙恬。

「原計劃很好，但不夠完善！」蒙恬回答說。

「哦！小蒙將軍有何高見？」王翦驚詫的問。

蒙武狠狠的瞪了他一眼，儘管他曾率軍十萬獨當一面過，但在父親眼中，他仍然只是個廿多歲的大孩子，長輩面前，哪有他說話的餘地。

他瞪的這一眼，蒙恬裝著沒看見，王翦卻看得清清楚楚，他笑著對蒙武說：

「讓他說，河水後浪推前浪，這次戰役完畢後，將是他們領軍作戰，縱橫天下。」

「依末將之見，作戰應考慮敵將的特性。素聞項燕用兵神奇，敢於行險，不喜圍守一地，而喜以奇兵圍殲敵人。按照原計劃，以十萬兵力先行佯攻，吸引楚軍，楚軍必嚴陣以待，在我軍半渡之際加以殲滅。而在石磯渡河的三十萬我軍，敵只須以五萬人迎擊水際，就能至少阻止兩天時間，到時十萬正面攻擊部隊已被擊潰，主力軍就算剩下二十萬人，亦難再獨力攻城！」

「你是從何計算的？」蒙武忍不住在一旁問。

「據末將得到的情報，楚軍雖只有二十萬兵力，防守線卻如此之長，而項燕善於用兵，整個防線只用了五萬正規軍，而且是作爲局部打擊部隊。他手上掌握了十五萬精兵，退可守城，進可以靈活運用，殲敵於半渡之際。」

「那麼依你之見呢？」王翦笑著問。

「依末將之見，不如多選一個渡河點，成則夾攻昌平，不成則可吸引項燕大部兵力，再派名猛將率少數兵力，乘敵我激戰之時夜暗渡河，乘虛直取昌平。」

「這樣太危險，容易造成我軍兵力分散。」蒙武搖頭說。

「小蒙將軍的計劃可行，這員猛將老夫就選定是你！你要多少人馬？」王翦微笑著對蒙恬說。

「兩萬人足夠了！」蒙恬有信心的說。

「好吧，就在你自己部隊挑選兩萬精兵，作爲奇襲昌平之用。」

三人再討論了一會執行作戰細節，王翦下達命令——

以蒙武率兵十三萬在昌平左方十里處強行渡河，並擴大聲勢欺敵，使敵誤判爲主攻點。

王翦自率二十五萬主力利用暗夜在石磯渡河點潛渡，如被發現轉爲強渡，渡河成功後，主導攻城。

蒙恬率二萬精兵，攜帶攻城器具，利用兩軍激戰之際，潛行渡河攻城。

於是各自回部積極準備。

10

月黑風急，淮水浪大，並不是太適合渡河作戰的好天氣，優點卻是可以欺敵，天氣壞會使敵人監視警戒更爲困難，而且會產生錯誤的安全感。

蒙恬所挑選出的兩萬精兵，個個驍勇善戰，而且都精通水性，先頭五千騎兵更是要靠本身力量，不用船隻渡河。

他帶著部將巡視各部隊的準備情形後，站在河堤上向南眺望，只見兩處渡河點都是殺聲震天，火光明亮。

王翦的先頭部隊在前一天黃昏時渡河，項燕判斷爲助攻兼佯動，派了他的兒子項梁帶車騎兵五萬攔截，雙方就在河岸激戰起來。項梁善於佈陣，雖然王翦部隊先後紛紛抵達，仍然一時衝不破項梁軍的陣線。

激殺進行了整整一天，河上充滿了被火箭射中焚燒的秦軍船隻，一時火光濃煙瀰漫天空。緊接著，蒙武率領的十萬大軍，在拂曉大張聲勢渡河，千船齊發，船上鑼鼓喧天，旌旗招展而來。

項燕判斷這次爲主攻，因爲離城較近，他親自率十萬精銳趕到岸邊列陣，並出動戰船百餘船，由河上橫擊秦軍渡河船隻。

他的計劃是在消滅部份秦軍於水際後，立即回城固守，但一經接戰，秦軍傷亡雖大，卻緊咬住楚軍不放，項燕率領的十萬軍隊一時還脫不了身。

等在這岸的蒙恬算算時候已到，他揮手作了個信號，等在岸邊的五千騎兵紛紛下水，他帶頭拉著馬尾游泳渡河，有些馬後面還拖著攻城用的雲梯擂木等木製工具。

五千人馬無聲無息渡過河後，在預定位置集結好，後續步兵才乘船過河，等楚軍發現時，五千騎兵已來到了城下。

蒙恬事先早有準備，五千騎兵全穿著楚軍黃色制服，旌旗盔甲完全是楚軍式樣，只不過頭盔上貼有白布作爲標識。

昌平城這段河流成彎狀，河面最寬，最不適宜作渡河，而城牆就依河岸而立，陡削有如絕壁，所以守城兵卒都看成是天險，敵人有所動靜一看就瞭如指掌，就是船渡過來，也不容易靠岸。城上哨卒只顧看河面上有沒有船隻，卻未發現五千人馬已悄悄上岸。

蒙恬先派了兩百名經過爬壁特別訓練的高手，就在敵人認爲不可能前來的「絕壁」，用飛雲索攀登上了城牆，悄悄無聲的殺掉城樓上的哨卒。

這邊蒙恬點著火把，正大光明的來到城門下面。他高喊著：

「城上哪位大人負責，請開下城門。」

守城的楚軍在火把的照明下，很清楚的看得出是自己人。但仍不能沒有懷疑，城外兩處渡河點正戰鬥激烈，怎麼會有人馬回城？

城樓上一名校尉模樣的軍官大聲問：

「來將何人？前方戰事如何？什麼事要進城？」

「城右十里渡河的敵軍已遭到全殲，項將軍怕城內空虛，派我率軍先回，保護主上！」

「可有通行令牌？」那名校尉又問。

「當然有，你可下來開城驗查！」蒙恬心想這下糟了，他哪有什麼通行令牌，但只要他肯開城門，殺進去再說。

「好，你稍稍等一下，我就派人開城門。」

就在蒙恬暗暗高興的同時，他忽然聽到那名校尉身邊有人喊：

「將軍，且慢，這位領軍是秦地口音，先問清他是屬於哪個部隊。」

蒙恬一聽，知道事情糟了。那名校尉問他，他一時答不出話，只聽到城樓上有人大叫：

「不好了，秦軍已經入城！正在瘋狂殺人！」

城上校尉未來得及反應，城門已被先行潛入的兩百名秦軍打開了。

楚軍在激烈抵抗中死傷過半，蒙恬則領先帶著兩千騎兵衝向楚王宮。

擒賊要先擒王！

其餘三千騎兵則分據北門和小東門城樓，依然將城門緊閉，另派少數騎兵滿城放火，城中楚軍一時弄不清到底有多少秦軍殺了進來。

城內兵力本就空虛，如今又分不清敵我，城內楚軍陷入混亂。

11

項燕迎戰蒙武軍，戰事進行得非常順利。

他事先在岸邊擺好了三才陣，沿岸佈滿強弩手和發石機，並以百餘戰艦來回攻擊秦軍船隊，發箭投石，阻止秦軍架設船橋，以備戰車、騎兵和輜重通過。

秦軍被火燒死和沉船死在河中的人，大約就有兩萬。船要靠岸邊時，又有埋在水底的巨木刺網，撞破船底，落水的人紛紛被刺網所絞殺。

眞正得以上岸的只有五萬不到的步卒，登岸之時又遭到弩箭和飛蝗石的擊殺。

一般的發石機只能單投十二斤左右巨石一枚，射程三百步，專作攻擊敵船及戰車之用。但經過項梁的改造以後，可換裝斗杓，內塡碎石或鵝卵石，射程也達五百步，稱之飛蝗石機。

數十部飛蝗石機齊發，成千上萬的碎石由空而降，嗤嗤作響，就像成群的蝗蟲飛來一樣，被擊中者非死即傷，尤其秦軍勇敢，素來不喜穿厚甲戴重盔，作起戰來才輕便靈活，這下造成的傷亡更大。

因此眞正能衝進楚軍陣中的不到四萬人。但這四萬人卻是有條不紊的由蒙武組成四十個方陣，向楚軍的三才陣突殺。

所謂的三才陣是步卒方陣排列正中，每隔三百步又是另一排步卒方陣，方陣由執戈、戟、矛、殳和佩帶劍、刀、匕首的步卒及強弩手配合組成，遠程由強弓勁弩發箭射敵，再接近時用長兵器，方陣遭敵衝散，則用短兵器格鬥，是所謂短兵相接。

三才陣兩側擺列著重騎兵，人馬都著重盔重甲，手執的都是長矛長戟。

步卒方陣與方陣之間，另佈有戰車陣。

當秦軍攻擊方陣進攻楚軍方陣時，楚軍方陣卻向兩翼分開，中間留出空隙來，秦軍乘機尖刀似的插入，想再兩翼席捲，卻發現楚軍方陣又向中間合攏，前十五列繼續對抗後續秦軍，後十五列向後轉，從背後攻擊已入陣之敵，而重騎兵和戰車則在兩個方陣之間衝殺踐踏，造成最大的震撼效果。不消多時，入陣秦軍全遭擊殺，又開陣讓出空隙，讓秦軍再進一批，再加以圍殲。

三才陣是由項燕發明，專對付喜歡輕裝作戰，甚至是打著亦腳、光著腦袋追擊敵人的秦軍。

三才陣一開一闔，秦軍遭到重大傷亡，蒙武連連叫苦，吃虧的是船橋未能及時建成，騎兵和戰車都不能渡河。他如今進退兩難，只有希望蒙恬能奪城成功，或是王翦援軍能及時趕到。

這樣戰到夜晚來臨，他命全軍退至河岸後方，藉河堤作掩護，等待天明。

等到半夜，項燕眼見敵人已沒有後續部隊到達，而在河中間阻敵的楚軍艦隊卻遭到秦軍絕對優勢艦隊攻擊，半數被燒毀淹沒或是被俘，半數照原定計劃避入河汊內。

項燕暗暗心驚自己判斷錯誤，項梁那方面才是主力部隊，好在傳騎來報，項梁正面之敵雖源源不斷渡河而來，但一天戰鬥下來，雖然受傷慘重，還勉強撐得住，只是暗夜中敵軍已搭好船橋，重騎兵和戰車部隊將很快過河來，明早再發動攻擊，只怕支持不了。

他隨即下了決心，不管蒙武的殘餘部隊，只留少數兵力監視，他要乘著暗夜率軍回城。

正在他調動部隊作回城部署時，只見昌平城火光四起，他大叫一聲：「不好！」急忙率領三萬騎兵和五百乘戰車火速趕回城來，好在只有十里路，不需半個時辰即可抵達。

12

等項燕回到小東門一看，整個昌平已成爲一片火海，城門樓上燈籠火把照得通明，燈籠上全是斗大的「秦」和「蒙」字。火光中，黑底白字的「秦」字旗，參雜著白底黑字的「蒙」字旌旗，迎著夜風招展。

城樓上站著一名黑甲小將，正是蒙恬，他滿臉笑容的向項燕喊：

「項將軍，全城已爲我軍佔領，楚王昌平……」

「我主上怎樣了？」沒等蒙恬說完話，項燕環眼橫睜，臉上虬髯根根豎起，著急的問。

「昌平王已服毒自盡！」蒙恬帶著惋惜的說。

「我不相信你的鬼話！」他轉身向身後的副將楚昌說：「攻城！」

「但我們沒帶攻城具械。」楚昌小聲的說。

「那就圍城！」項燕急得已失去了理智。

「現在不是圍城的時候，石磯方向的主攻敵人，假若公子抵擋不住，天明時就可能追擊到了，我們應該率軍撤退，作再圖的打算！」楚昌說。

「你的話說得有理，我眞是一時急胡塗了！」項燕說：「你傳令各級部隊作撤退準備，但我不見到昌平王的遺體總不甘心。」

此時天已微明，只見穿著白色戰袍騎著白馬的項梁，率領著數千殘兵趕到，他急馳到項燕面前，行禮報告說：

「父親，王翦正率大軍追來，我軍爲何不進城？」

「城早就易手了。」項燕苦笑著指指城樓。

正說話間，只見鼓聲四起，吶喊聲震天，秦軍黑色旌氣紛紛揚起，他們已處在秦軍的重重包圍裡。

王翦一馬當先，後跟著數十名幕僚及護衛來到陣前，他遠遠的向項燕喊著說：

「項將軍別來無恙？如今你已完全被包圍，爲了避免不必要的殺戮，你還是投降的好。」

「父親，楚國只有斷頭將軍，沒有投降將軍！我來斷後，掩護父親殺出去！」項梁只不過二十七、八歲，長得英俊瀟灑，不像武將，倒像一介儒生。

項燕沒有回答項梁的話，只是高聲對王翦喊著說：

「老夫想見見昌平王的遺體再說！」

城樓上的蒙恬也聽到項燕的喊話，他大聲笑著說：

「這還不簡單！早知道你要看，已準備好在這裡。來人，將昌平王的遺體放下城去！」

城樓上用繩索吊下一具棺木，項燕這邊派出十數名兵卒抬來，放在項燕面前。項燕下馬一看，果然是龍眉鳳眼留著三綹清鬚的昌平王，只見他面呈金紙色，口中尙有血跡，一看就知是服用鶴頂紅之類的劇毒身亡。

項燕帶著衆將官下跪行禮，楚軍全部都怒氣塡膺，高喊要和秦軍決一死戰。

「父親，士氣可用，不如和秦軍拚死一戰突圍！」項梁對項燕說。

「昌平王一死，號召中心已失，再作困獸之鬥，也不過白白犧牲幾萬人生命，怪只怪我不應該自負敢於行險，出城應戰！」項燕嘆口氣說。

「死守城池，外無援軍，下場也許更慘，父親不要太過自責。」項梁安慰他說。

「王將軍，你是否敢過來單獨和在下談談？」項燕示意隨從不要跟來，他一縱馬來到兩軍陣前中間。

「項將軍召喚，王翦怎麼敢不來！」王翦也馳馬前來，雙雙抱拳行禮。

「昌平王一死，項某鬥志全失，投降可以，但要讓這幾萬士卒棄械自行離去，不當俘虜，王將軍可肯答應？」

「王翦的意思是要項將軍仍舊率舊部，爲秦鎮楚國各地，再呈報秦王，加封官職。」王翦懇切的說。

「楚國只有斷頭將軍……」

「好吧，就照項將軍的意思，士卒將領願留則留，不留自行離去！」

「君子一言？」

「駟馬難追！」王翦在箭囊中取出一箭，從中折斷：「食言當如此箭！」

「好，王將軍千金一諾的信譽，項某信得過！」

項燕回到本軍，大聲宣佈了這項約定。衆士卒流著淚高呼：

「願隨將軍決一死戰！」

「困獸之鬥無益，放下武器回家吧！」項燕聲音哽塞，強忍著眼淚不流出來。

楚軍紛紛放下武器，秦軍也遵行約定讓路。不到半個時辰，數萬殘兵散走一空。

項燕身旁只剩下項梁和幾名親隨。

項燕在昌平王棺木前下跪，沉重的說：

「臣無能，有辱大王！」他再向項梁大喝道：「記住，楚雖三戶，亡秦必楚！」

他突然拔出佩劍，項梁等人來不及搶救，他已自刎身亡。

13

秦王政二十五年，大興兵，使王賁將，攻燕遼東，生俘燕王喜，押解咸陽。再回兵攻代，虜代王嘉。

王翦則乘戰勝餘威，迅速平定楚江南各地，並降服越君，將江南地及越地合置會稽郡。

五月，秦王政犒賞全國軍民，各縣各里賞賜牛羊美酒，軍民大事慶祝。

二十六年，齊王建與丞相后勝突然從和平美夢中醒過來，張目環顧，六國中有五國全變成了秦國的郡縣，稱王的就只剩下他一個，他眞的是孤家寡人了。

秦國這時也接連派出使者要他投降，他與群臣商議的結果，決定發兵防守邊界，不再接納秦使者。

秦王政得到消息大爲震怒，知道非用武力不行了。

那天，他召集王賁和蒙恬兩位年輕新生代將軍來到南書房。

王賁和蒙恬的軍隊尙分別駐紮燕南和楚地東北，他們是因接受賞賜而回到咸陽休假。蒙武此時也已由軍中調回。

在兩名小將坐下，接受王后親自奉茶的殊榮後，秦王政笑著說：

「兩位將軍的功勞將永留青史，寡人也不必再加誇獎。現在留下齊國不戰不降，依寡人的看法，灰塵留在席案上，拂去雖是輕而易舉的事，但不去拂它，灰塵依然不會自動消失。」

「大王之言甚對！」兩名小將異口同聲說。

「寡人爲了提高兩位攻齊的興趣，有一個奇特的做法：王將軍從燕南進軍，蒙將軍自楚北進軍，誰先到臨淄就號令全齊，並代寡人鎮守齊地。」

秦王的口吻似乎齊國已是囊中之物，用來逗這兩個尚帶孩子氣的小將玩。

王賁聽了暗暗高興，由燕南往臨淄，一路地形易攻難守，而且據間報，齊國大軍全守在四方邊境上。

蒙恬卻在心中叫苦，楚北向臨淄，除了地形不利攻擊，還有道人工長城一直由琅琊山直通泰山北邊濟水上，將臨淄保護得非常嚴密，這是專對秦楚而設。

但他又不願示弱抗議，只得和王賁在秦王政面前立下軍令狀。

回到家中，他始終悶悶不樂，蒙武和齊虹見了奇怪，問到原因，他將今天的事說出。

「絕不能讓王賁得佔先機，由他治齊，齊地慘了，他用河水灌大梁城，慘絕人寰，後來治魏，嚴法峻刑，弄得民眾叫苦連天！」齊虹恨恨的說。

「依地形和兵力配備的情形來看，恬兒要想先王賁到臨淄，幾乎是不可能的事。」蒙武取出一張地圖，一邊仔細研究，一邊皺著眉頭說。

「我倒有一個辦法。」沉吟很久的齊虹突然拍手說。

「請齊姨趕快告訴我。」統兵十萬獨當一面的大將，在家仍然是個大孩子。

「不過有一個條件。」齊虹故作神祕的微笑著說。

「在這種情形下，不說一個條件，就是十個條件，恬兒也只有應承。」蒙恬假裝不高興。

「喊我娘，以後不要齊姨齊姨的，好像我到你們家這多年，到現在還是外人！」齊虹也有感慨。

蒙恬呆了一下，一時還眞叫不出口。蒙武連忙笑著在一旁湊趣：

「我當什麼了不起的條件，原來只是要恬兒嘴巴甜一點，妳本來就是他娘，恬兒，趕快叫！」

「娘！」蒙恬鄭重的跪下去喊，三十歲的人了，首次喊別的女人「娘」，怎樣總有點不習慣。

「孩子，快起來！」齊虹雙手扶起他，竟高興得兩眼含淚。

「你敢不敢行險？」三人復座後，齊虹問蒙恬。

「領兵作戰就是冒險，還有什麼敢不敢的！」蒙恬笑著說。

「這次冒險不同平時作戰，成則全贏，娘包你比王賁先到臨淄，敗則全盤皆輸，你的性命恐怕都難保！」齊虹正色的說。

「妳不要事情還未說出，就先嚇唬孩子，」蒙武也笑著說：「妳就趕快揭開謎底吧！」

「我的計劃是，蒙恬只領兵兩萬由水路進逼即墨，而由裨將領軍由正面進攻。即墨位於海口，大夫齊準是我族兄，也是齊相后勝的心腹，爲人膽小怕事，貪黷好貨，大兵一到，他必會降，然後由他說服后勝勸齊王降，不是要比王賁從燕南須渡河水和濟水兩道天然障礙快得多？」齊虹轉視蒙武，嫵媚的一笑。

「眞是妙計！」蒙武明白她要他的誇讚，他連忙拍手。

「看樣子，娘得陪你走一趟了？」齊虹又轉對蒙恬說。

「多謝娘！」這次他喊娘喊得非常順口了。

14

蒙恬率精兵兩萬乘船沿著海邊，繞過琅琊山在即墨港口登陸。

即墨人有幾十年未經戰爭，幾乎忘記了軍隊是何物，而且處於海邊最後方，感覺不到一點戰爭的威脅。

秦軍靠岸登陸，很多人還到港口上看熱鬧，當作是本國軍隊來此佈防，全都拍手歡迎。等軍隊全部上岸，整好隊形，展開黑底白字的「秦」字和白底黑字的「蒙」字旗，民眾才發覺是秦軍來了。

「不得了，秦軍來了！快逃！」港口原來圍觀的民眾四散奔逃喊叫，街上店鋪也紛紛關門上門板，突然之間，港口街市空寂不剩一人，只有秦軍的皮靴和馬蹄聲在空氣中迴盪。

蒙恬和齊虹一下船就率領了三千騎兵，直奔即墨城，在即墨門監還未來得及反應前，就控制住了四處城門。

他們親率一千騎兵馳向即墨大夫衙門。

在路上，他們還遠遠看見拉著白布條的兩群人在打架，蒙恬不解的問齊虹怎麼回事，齊虹也驚奇的笑著說：

「怎麼鬧了幾十年，到現在還在鬧！一時說不清楚，以後再說給你聽。」

這些扭打的人聽見有人喊秦軍來了，也都停止打鬥，一窩蜂的散去，只留下一些白布條散留在地上任人踐踏。蒙恬隨便看了看，只見有的白布條寫著：

「非齊猪滾回魯國去！」

「不抗秦就會亡國！」

「非齊人、齊人都是齊國人！」

「秦軍壓境還要內部鬥爭，眞是沒良心！」

「非齊人完糧納稅，爲何不算齊人！」

「……」等等。

原來，臨淄嚴禁抗議遊行鬧事，要抗議遊行的人都轉到即墨港市來了。大夫衙門有數百名士卒守衛，倒也盔鮮甲明，兵器配備精良，但經過秦騎兵一衝，斬殺了幾人，其餘的一鬨而散，各自逃命。

蒙恬的兵卒在臥房床底下找到全身發抖的齊準，他一見到齊虹，才放下心來。他諂笑的說：

「原來領軍的是大妹子！」

「不是我，是我兒子，」齊虹指著蒙恬說：「我們公事公辦，你爲我們帶封信去說服后勝投降，你現在有的，將來都能保有，要是玩花樣，殺你全家一百多口！」

齊準沒過幾天就從臨淄帶信回來，齊王建聽從后勝的建議，願意投降。他討好的對齊虹和蒙恬說：

「我告訴后勝，秦軍二十萬佔領即墨，正向臨淄推進中，他們不敢不降！」

其實他是隱瞞了眞實狀況。齊王建和丞相后勝接到戰報，北方王賁軍及南方蒙恬裨將所率軍隊，雙雙入侵齊境，他們立即召開御前作戰會議，第一次御前會議，該到的大臣只到了百分之八十，其他百分之二十的人全部棄職逃亡；等到召開第二次作戰會議時，只剩下一半不到。

就在這時候忽然聽到秦軍已佔領即墨，當然趕快投降，齊準只不過加了一點最後一根稻草的力量。

蒙恬率領兩萬秦軍浩浩蕩蕩開進臨淄，舉行了盛大的獻俘和入城儀式，將齊王和后勝都軟禁在住處，聽候秦王發落。

過沒多久，接到秦王政的回示，齊王建徙居於河內共地，后勝以不忠罪名斬首。

齊人都怨恨齊王建聽信后勝的讒言，不早與諸侯合縱抗秦，而縱容后勝與秦間來往，並將秦間當門客養在家裡。齊地流傳著一首歌謠——

「松耶柏耶？住建共者客耶？」

這是譏諷齊王建認人不清，錯將秦間當貴客，最後落到亡國徙居共地的悽慘下場。

王賁領著十五萬大軍，輕易渡過河水、濟水兩道天險。在燕國境內還遭到燕趙人聯合組成的游擊隊的騷擾。人言燕趙多慷慨悲歌之士，眞是不錯，國雖亡了，民間仍有反秦武力組織。

但一進入齊國地境，情形就完全不一樣。齊軍將領一看秦軍到來，下令部下死守，他要到上級去開會，就此一去不回。軍大夫如此，旅大夫跟著學樣，最後連管一百人的卒長也跑得精光，只留下一些全不知情的伍長和兵卒，秦軍一到，沒人指揮佈陣殺敵，也就紛紛逃散，逃不掉的就投降當俘虜。

王賁軍在齊境未遇任何抵抗，像平日行軍一樣直達臨淄。王賁算算日程，即使蒙恬軍和他一樣未遭任何抵抗，如今應該只在齊西長城外面。

在離臨淄十里外，王賁下令紮營，並派出探馬打聽敵情，誰知道探馬帶回來的不是敵情而是蒙恬本人。

「王兄你辛苦了！」蒙恬笑嘻嘻的行禮。

「蒙兄你眞是用兵神速！」王賁簡直不相信自己的眼睛，他心裡在想——這小子是否有翅膀飛過了泰山？

「後日舉行入城式，選派五萬精兵即可，其餘在此紮營，齊國已完全平定，讓士卒好好休息。王兄請在今晚帶高級將領入城，小弟要在原齊王宮設宴爲王兄洗塵。」蒙恬說話客氣，但實際上是在下命令。

王賁是何等聰明人，他連忙行禮，口中說著：

「末將遵命！」

「王兄何必來這一套！」蒙恬趕快謙讓。

「王命不敢違！」王賁雖然心裡難過，但也不能不說實話。

於是，秦王政十七年得韓王安，韓亡；十九年得趙王遷，滅趙；二十二年魏王降，魏亡；二十三年虜楚王負芻，二十四年破昌平，楚全亡；二十五年得燕王喜、代王嘉，燕亡；二十六年得齊王建，齊亡。

六國畢，四海一，秦王政就此統一了天下。

〔請繼續閱讀第四部・飛龍在天之卷〕

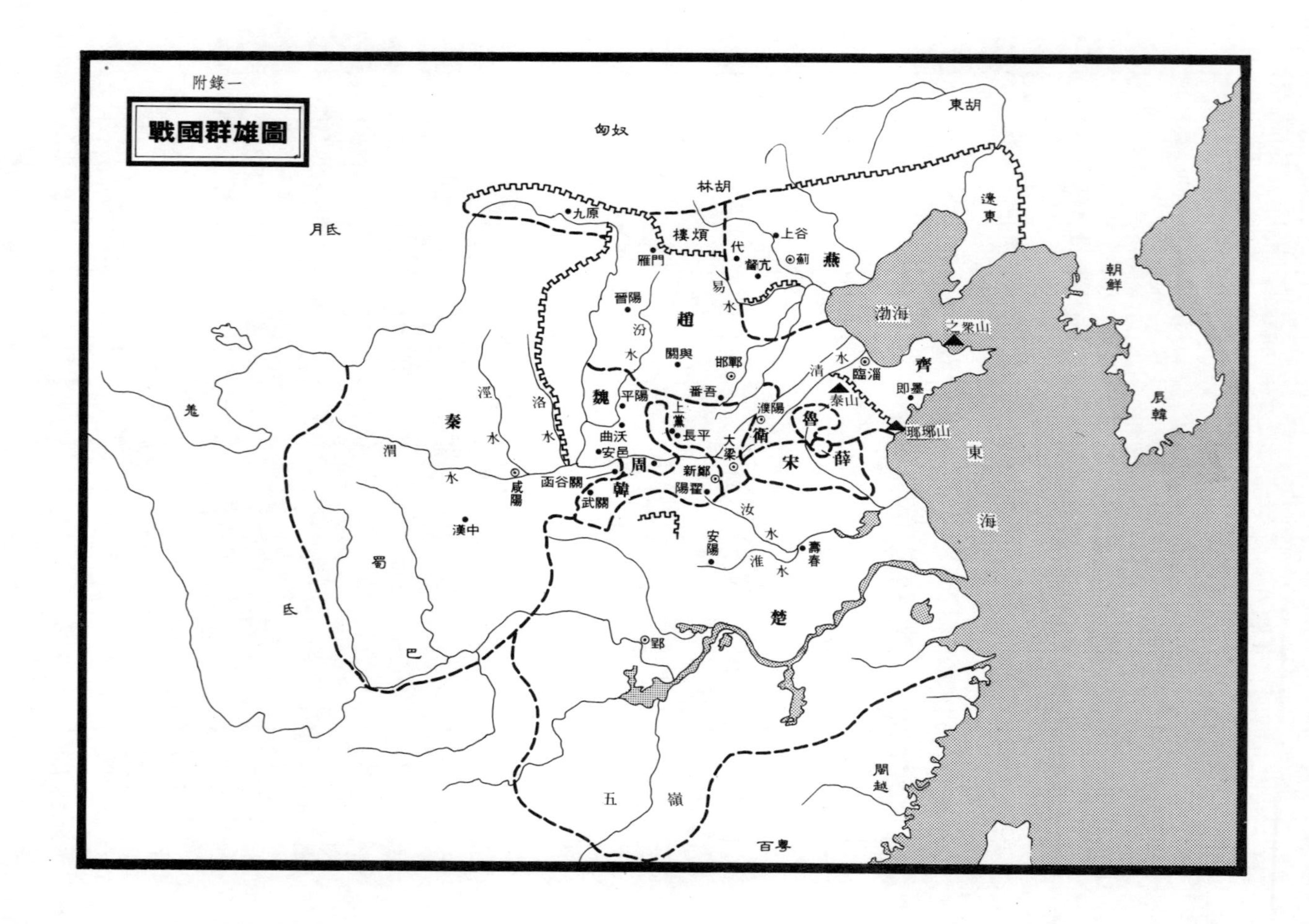
附錄一
戰國群雄圖
匈奴
東胡
林胡
月氏
九原
樓煩
雁門
代
上谷
督亢
薊
燕
遼東
朝鮮
辰韓
晉陽
易水
趙
渤海
之罘山
汾水
閼與
邯鄲
涇水
洛水
秦
羌
魏
平陽
番吾
濮陽
清水
臨淄
齊
即墨
泰山
魯
瑯琊山
上黨
長平
大梁
衛
曲沃
安邑
周
渭水
咸陽
函谷關
新鄭
宋
薛
東海
韓
陽翟
武關
汝水
漢中
安陽
淮水
壽春
蜀
氐
楚
郢
巴
閩越
五嶺
百粵

秦代郡守圖

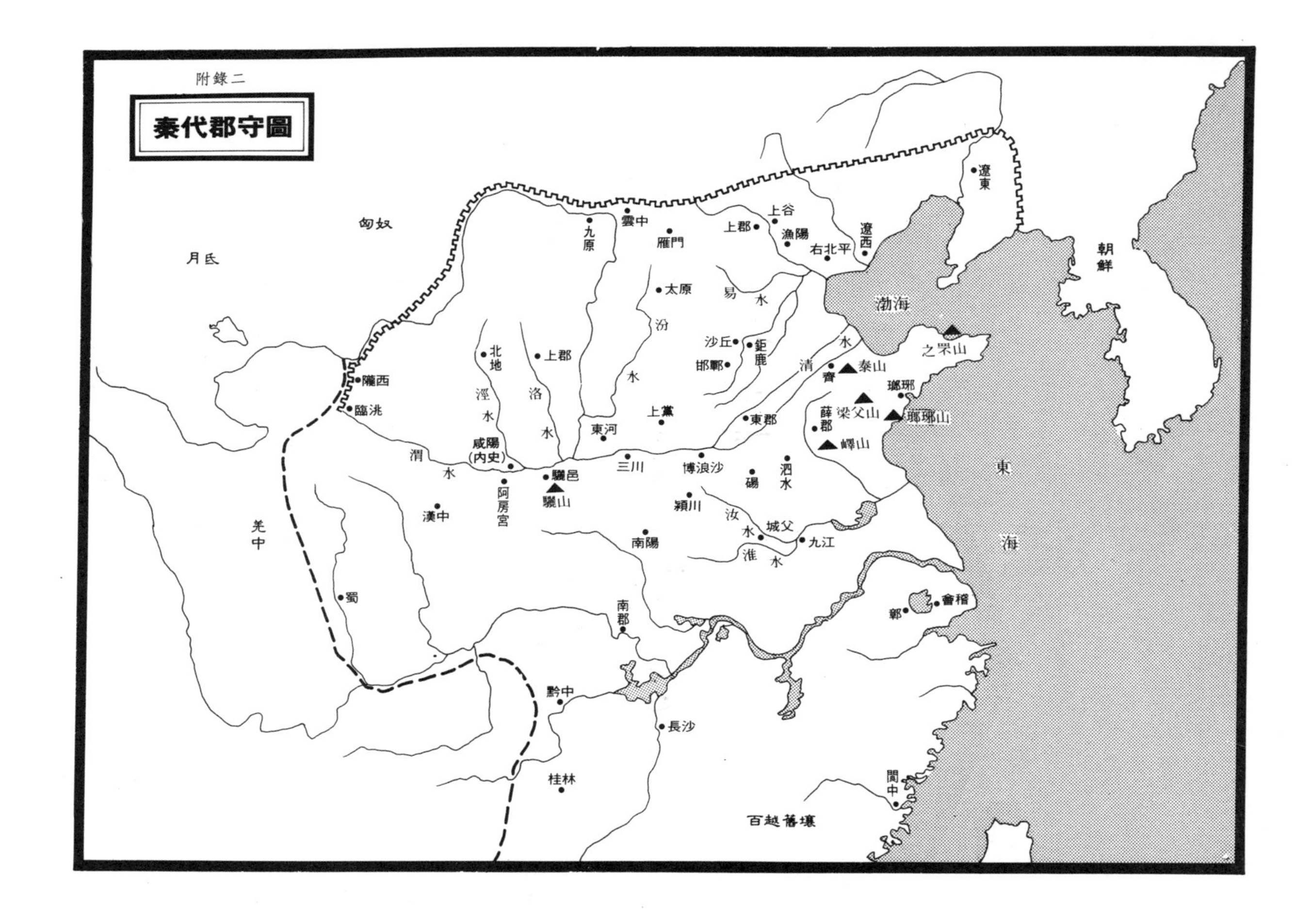

匈奴
月氏
羌中
蜀
隴西
臨洮
北地
上郡
九原
雲中
雁門
上郡
上谷
漁陽
右北平
遼西
遼東
朝鮮
渤海
太原
易水
汾水
沙丘
鉅鹿
邯鄲
涇水
洛水
渭水
咸陽(內史)
阿房宮
驪邑
驪山
漢中
東河
上黨
三川
博浪沙
東郡
清水
齊
泰山
之罘山
瑯琊
瑯琊山
薛郡
梁父山
嶧山
碭
泗水
潁川
汝水
城父
南陽
淮水
九江
東海
會稽
鄣
南郡
黔中
長沙
桂林
閩中
百越舊壤

國立中央圖書館出版品預行編目資料

秦始皇大傳／李約著，--初版，--臺北市；
實學社出版：吳氏總經銷，84
冊；　　公分--(小說人物；1-5)
ISBN 957-9175-01-2(--套；平裝)
ISBN 957-9175-07-1(一套；精裝)

857.7　　　　84000813